世界経済の分断点を乗り越えよみがえる日本

コロナ恐慌後の「希望」を読み解く

元駐ウクライナ大使
馬渕睦夫

株式会社アシスト代表取締役会長
ビル・トッテン

MUTSUO MABUCHI
×
BILL TOTTEN

ビジネス社

はじめに　本書を手に取ってくださった読者へのメッセージ

このたび、濱田麻記子《はまだまきこ》・林原《はやしばら》チャンネル社長の計らいにより、株式会社アシスト会長のビル・トッテン氏との対談の機会を得ました。トッテン氏は2006年にアメリカから日本に帰化されたビジネスマンで、今回の対談を通じてビジネスの現場で良き日本的な経営方式を実践しておられることに、深い感銘を受けました。

多くの日本企業の経営者が、いわゆるグローバル化経営にのめり込んで、進むべき方向を見失っている昨今、トッテン氏の箴言《しんげん》は彼らの心に突き刺さるものがあるのではないかと、期待しています。

私たちの対談は、現在の新型コロナウイルス騒動が起こる前に行われましたが、その内容はコロナ後の世界、とりわけ我が国の歩むべき道筋を的確に照らすものであると自負しております。詳しくは本文を参照願いたいのですが、危機にあっては復古の精神が重要であり、ふたりは脱グローバル化こそが我が国の生き残る道である点で意見の一致を見ました。

対談後に執筆したコロナ騒動後の世界に関するふたりの論攷《ろんこう》（第5、6章）も、私たち日本人に将来の希望を与えるものとなることを願っています。

本書の対談はアメリカ系日本人のトッテン氏と日系アメリカ人になったかもしれなかった私との、実践的日米比較文化論の色彩を帯びた内容となりました。

少し説明が必要ですが、私の父方の祖父母は明治時代に移住先のサンフランシスコで結婚しました。結婚式は市郊外の教会で挙げたのですが、純白のウエディングドレス姿の祖母の写真をいまだに懐かしく思い出します。

その後、祖父が病を患ったためサンフランシスコでの生活を諦め、日本に帰国したあと、父が生まれたのです。そんな家系の事情もあって、私は幼いときからアメリカに憧れの感情を抱いて育ちました。

もっとも、私が憧れたアメリカは、建国の精神に満ち満ちた躍動的なアメリカでした。そんな本来のアメリカを、現在トランプ大統領は取り戻そうと苦心しているように思えます。この点については、トッテン氏の見方と必ずしも一致はしませんでしたが。トッテン氏がアメリカを見限ったのには、グローバル化の結果、アメリカ国民の利益を守る国家ではなくなったことが影響していると感じた次第です。


ところで、読者のなかにはトッテン氏を「アメリカ系日本人」と形容したことに、何か違和感を持たれた方もおられるかと思います。なぜ、「アメリカ系日本人」という言い方がしっくりこないのか。それは、私たちは帰化した人を「〇〇系日本人」とは呼ばないからです。

日本に帰化した以上は、みんな平等に日本人だと見なしているのです。このような感情の表れの例として、日本に帰化するにあたって「国家への忠誠の宣誓」が行われていないことが挙げられます。日本人になる人は当然、日本国家に忠誠を誓っているはずで、いちいちその意思を確認する必要がないのです。詳しくは本書第4章をご覧ください。

本文を読んでいただければお気づきいただけると思いますが、会社経営を含む日本文化や伝統精神について、私たちの見方はほぼ一致しました。唯一とも言ってよい相違は、中国に対する評価です。中国とどう付き合っていくかの判断は、ふたりの意見を読んでくださった読者の方々にお任せしたいと思います。

本書が読者の皆さまにとって知的好奇心への刺激になり、また我が国の将来に希望を持っていただく機会になれば、望外の幸せです。

馬渕睦夫

令和2年5月吉日

はじめに　本書を手に取ってくださった読者へのメッセージ――3

第1章 終わらない経済戦争に決着をつける日本式ビジネス復活のカギ

有能なスタッフとそうでないスタッフの違い――14
お金儲けの本当の意味――16
アメリカ式経営の限界と日本式経営のメリット――22
日米貿易摩擦というインチキ――26
常に倫理観が伴う日本人のビジネススタイル――30
仕事という名の〝仏道修行〟――34
マッカーサー式戦後政策の呪縛――39

第2章

世界のマネーの動きに抗う日本企業のあるべき本質

イスラエルの〝植民地〟となったアメリカ――46
ケーディスが参考にしたワイマール憲法の落とし穴――51
アメリカの歴史と政治を取り戻そうとするトランプ――55
日本企業の伝統だった「君民一体主義」――61
自国民を大切にしないアメリカの企業論理――67
新しい天皇陛下と上皇陛下に求めるもの――74
法律的にも定義されていない「公務」のあり方――78

第3章

分裂し続ける世界のなかで、日本が果たすべき本当の役割

ユダヤ人のディアスポラと日本人の土着力――84

「〇〇系日本人」がいない本当の理由――87
絶対にありえない「多文化共生社会」――89
奴隷がいない日本社会の特性――93
グローバリズムをストップさせた伊勢神宮の神々――98
米国組にい続けるのか、ユーラシアを目指すのか？――102
アメリカの意向を忖度した外務省の横やり――106
インドを含めた大海洋国家連合の現実性――108
似ているようで非なるロシアと中国――111
国際通貨になれない中国人民元の限界――115
米中覇権争いの知られざる内実――119
日本の対中最大の武器となる最先端技術――125
「中国を太らせろ政策」の終焉――128

第4章
貧富の格差を乗り越える日本人らしい生き方
貧富の格差を広げた米国式民主主義政治 ―― 132
セキュリティを守れないからこそ考えるべきこと ―― 137
中国の一人っ子政策から考える日本の少子高齢化対策 ―― 139
なぜ日本は、外国人に国家への忠誠を誓わせないのか？ ―― 143
日本が真の独立国になるために必要なこと ―― 151

第5章
コロナで変わる世界経済と、私たちの新しい働き方
ビルの視点
GDP世界第1位なのに国民をウイルスから守れない米国 ―― 158

意味をなさなかった新型コロナのシミュレーション――160
グローバル支配を目指す食料と種子をめぐる戦い――163
コロナ禍で生まれた意外な環境改善――165
変わる働き方とビジネスパーソンの意識――168
コロナ後に生まれる新しいビジネスチャンス――171
プライバシーの問題と止まらぬデジタルシフト――175

第6章
馬渕の視点
武漢肺炎騒動後の世界
――忍び寄る戦争に備えよう

すでに世界は戦争状態に突入した――180
グローバリズム秩序の崩壊――184
マネーの支配の終わりの始まり――189

「一帯一路」で国は滅ぶ —— 195
三つ巴の戦い —— 199
精神の覚醒 —— 203

おわりに　日本人になった私が願う日本の脱グローバル化

208

第1章

終わらない経済戦争に決着をつける
日本式ビジネス復活のカギ

有能なスタッフとそうでないスタッフの違い

ビル：僕の会社はいま、1200人くらいの社員を抱えています。そして僕の日々の仕事は、現在の社長の足を引っ張らないようにすることです。彼は重要なことについては僕に相談に来るけど、「社長は君だから自分で決めて」と伝えていますね。

馬渕：私は経営者という仕事はやったことがありませんが、組織というものを見ていると、だいたい10％は変な人がいると思います。トッテンさんの会社には1200人の従業員がいるとなりますと、ちょっと問題あるのかなという人が120人くらいはいるのではないでしょうか。だからそうした人たちを、どうやってうまく扱うかというのが、経営者の手腕なんですよね。

ビル：ええ。ただ、うちの会社が他の会社と違うところは、社員ではなく、社員を選んでいる我々雇う側に責任があると考えていることです。1000人も雇えば、さまざまな人がいるのは当然です。

馬渕：なるほど。雇った責任を取るということは、逆に言えば社員を大切にする日本的経営方式にも通じるものがありますね。

ビル：だからなるべく、全員に得意分野で貢献してもらっています。もちろん、会社のなかでは競争があるので、優秀な人は上に行きます。ところが、そうした人たちとともに、力が若干劣っている人も大事にするのが重要なのです。ある部分の競争では劣っているかもしれませんが、他の部分では彼らの力なしには会社は立ち行かなくなりますから。

馬渕：これは、トッテンさんのほうがご存じでしょうけど、昔からよく言われるように、仕事をする人の能力の高い低いと、仕事をあまりしない人の頭の良い悪いという組み合わせについて、どの組み合わせが一番いいのでしょうか。普通は、頭が良くて仕事がよくできる。これが一番いいだろうと思いがちなんですが、ところがそうじゃないんです。私が思うに、これは二番なんです。頭が良くて仕事が「できない」のではなくて、仕事をあえてバリバリ「やらない」人。これが一番いいんです。逆に、頭が悪くて積極的に仕事をやる人、これが一番困るわけですね。そして、頭が悪くて仕事をやらない人、これが下から二番目となるでしょう。

我々の常識では、頭が良くて仕事のできる人や、頭が良くて仕事に意欲のある人を大切にしなきゃいけませんが、実はこういう人たちを厚遇しすぎると組織はうまく回りません。

私の外務省時代の経験から言いますと、霞が関の中央官庁の役人のなかには、頭が良くて仕事が大好きというタイプがわんさかいるんですよ。ところが、そういう役人が幅を利かせている組織は、どこかでぼろが出て問題を起こしかねないのです。

お金儲けの本当の意味

ビル：僕はビジネスパーソンで、馬渕さんは官僚ですけど、お互いにいるのは組織という意味では同じでしょう。人間の集まりですからね。

馬渕：同じですが、決定的な違いがある。つまり官僚というのは、私も含めてですが、お金儲けをしないということなんです。これは、私が自分の人生を振り返ってみると、経験できなかったというか、しなかった最大のことですね。お金儲けをやってこなかったことは、社会や人生を語る上で何か欠けていると感じます。私も「日本経済はこうあるべきだ」などと言うことがありますが、地に足のついた議論じゃないですね。なぜなら、自分でお金儲けをしてこなかったから。実際に苦労して、自分の手でお金を儲けるということは、それはたぶん、人生においてとても貴重なことです。

しかし、私はそれができなかった。だから余計にそう思います。決してお金がすべてではない、というのは当たり前ですが、とにかく、人間のやるべき一番重要なことのひとつは、自分で汗水たらしてお金を儲けるということ。私は10円も儲けてきていませんが。

ビル：ただ、政治家や役人の場合、いろいろな便宜供与がありますよね。だからお金儲けをする必要がなかったわけじゃないですか。

馬渕：役人は法律で決められている給与はいただきます。しかし、そのことは実際にものをつくったり、売ったりして汗水たらして自らの力でお金を儲けることとは質的に異なります。公務員を退職したいま、私は本を執筆したり、講演したりして、ようやく自分で稼ぐようになったわけです。トッテンさんのおっしゃった「便宜供与」に関して言えば、有益な情報を入手したり、各界の著名人に会う機会などを得られました。それらは、現在も役立っていますね。

ビル：つまり、いまはおつりの人生ということでしょうか。

馬渕：いや、おつりではなく、「お返しの人生」だと思っています。現役のときは、国民の税金からいただいた給与で生活することができた。その恩に対するお返しなのです。いまは自分ひとりだけ。何かの組織に所属しているわけでもありませんからね。自分で働いてお金儲けをせざるをえない。人生で初めて、そういう立ち位置になったんですね。で、実際お金儲けというのは大変だなって思います。

ビル：僕はお金を儲けても女房に全部取られるから、あんまりやる気が起きないんです（笑）。僕が使えるのは、おこづかいだけですから（笑）。

馬渕：いや、そういう意味では奥さんにお金を捧げておられるわけですから、やり甲斐があるんじゃないですか。

ビル：僕は財布すら人任せです。給料の大部分は女房に渡して、一部の通帳を会社に保管してもらっています。女房に渡したお金は使えないけど、会社に保管している通帳は、僕のためのお金。だから、お金が欲しいときは、僕はATMではなく、秘書に頭を下げて出してもらっています（笑）。

馬渕：うちもみんな、家内が取り上げるんですよ。講演料なども、家内にそのまま差し出します。このように、家内が全面的に我が家の財政を管理しているわけです。ですから私の場合は、家内に頭を下げておこづかいをもらっています。「今日はちょっとタクシー代が足りないからください」って（笑）。

ビル：女房は、僕には言いませんが、近所には「夫が無駄遣いばかりする」と言っているんです。

僕は自家製ソーセージをつくっているのですが、そのソーセージをつくる機械を8万円くらいで買いました。その件について、僕に直接文句を言えない理由は、彼女のお金ではなく僕のおこづかいで買ったからです。それでも、彼女は内心「無駄遣いだ」と思っている。だから近所に言いふらしているんですね。

それにしても、馬渕大使が一番ご存じだと思いますけど、普通、日本の外交官は、赴任先の国と利権の結びつきを持ってくるんですよね。だから一般的に、外交官のOBはお金持ちではないでしょうか？

馬渕：そういう噂は聞いたことがありますが、外交官が赴任先の国と利権の結びつきがあるというのは事実ではありません。条約上、外交官は任国《にんごく》でビジネスをしてはいけないことになっています。だから、外交官の仕事だけでお金持ちになることは制度上不可能です。

しかし、退職したあとは民間人になるわけですから、ビジネスは自由です。たとえば、過去の任国の関係者と組んで会社を設立し、その国の特産品を輸入して日本で売るという形で。こうしたことは必ずしも悪いことだとは思いません。そうやって、日本でビジネスをちゃんと回しているわけですから。ただ、私は自分の生き方に合わないので、やりませんが。

トッテンさんが2013年にお書きになった本『本当はもっとよくなるニッポンの未来』（ビジネス社）で、日本に対する一種のウォーニング、つまり警告というかアドバイスを送っていますよね。ビジネスを経験してこられて、自らの人生における日本人としてのビジネスのあり方を提言しておられるのではないか、という気がしました。その背景にあるのが、いまおっしゃったような、トッテンさん自身の生き方であり、それが本に表れているんだろうと思います。ただ、あの本はとても面白いんですが、出るのが早すぎたのではないでしょうか。いまこそ必要な本ですが。

それと、もうひとつは、この本にはいろいろな提言が書かれてあり、いずれも面白い内容なのですが、2013年当時は、あまり多くの人が耳を傾けなかったのではないでしょうか。

ビル：ありがとうございます。かなり以前から同じようなことを言っていますが、あまり受け入れられていません。だから僕は、本を出したあとは読者任せだと思っているんですけどね（笑）。

アメリカ式経営の限界と日本式経営のメリット

ビル：ところで、ちょっと話題を変えてみましょう。馬渕大使は官僚でしたから、お給料は皆、基本的に平等にもらっていたでしょう？

馬渕：そうです。先ほど言いました通り、我々の給料は法律で決まっています。

ビル：うちの会社の給料に関しては法律で決まっていませんので、独自の考え方をとっています。まず、基本給があって、その他にボーナスがあります。1年を1月から4月、5月から8月、9月から12月というように4カ月ごとに3分割して3つの期とし、その期の成績で、部門ごとのボーナスが決まります。そしてその部門の管理者が、ボーナスを部門内で配分するわけです。

うちの会社は2020年で創業48年となりますが、平均的なボーナス額は、だいたい基本給の10〜12カ月分。ただし、その期の成績で高い成果を挙げた部門がたくさんボーナスをもらいます。次の期に頑張らなかったらボーナスは低くなる。それが刺激になって、みんなとても頑張っています。実際、昨年は平均的な社員でも、基本給の14カ月分くらいのボーナスが出ました。もちろん、成績に応じて変動するボーナスとは別に、基本給は保証していますから、社員の家族の生活は安定しています。

馬渕：それは皆さん平等に？

ビル：ボーナスは平等ではないんです。成績によって違いがあります。ある部門はたくさん売ったから、年間のボーナスが20カ月分かもしれない。他の部門は7カ月分かもしれない。

僕の会社では、各部門の予算を自分たちが使いたい金額に応じて設定しています。その予算を賄《まかな》うのは売上で、それが自分たちのノルマになります。そのノルマの達成率で、ボーナスを決めています。

だから、お金を使わない部門は、売上もそれほど必要ない。逆にお金をたくさん使いたいところは、その予算に見合うだけの売上を上げる責任が出てきます。その達成率によって、部門ごとのボーナスを決めているわけです。

馬渕：なるほど。いい意味で、いわゆる伝統的な日本式経営と、アメリカのメリットシステムというか結果主義を、ミックスしておられる感じですね。

ビル：アメリカは、ミックスでなくて、オール・オア・ナッシングですから。

馬渕：たしかに。まあ、私は横からそういう議論を見ていただけですが、残念ながら日本の場合は、アメリカが成績主義で給料を決めていると聞くと、すぐ真似するんですよ。「リザルト・オリエンテッド」などという、日本語にしようがないような言葉がはやったこともありました。

それで、トッテンさんの本にも書いてありますけど、結局、冷戦後の「奪われた20年」とは、アメリカ式経営というか、〝株主資本主義〟が強制された結果、それこそ終身雇用や年功序列、系列などといった、日本式の良いものが潰されていった時代であったわけですね。

ビル：僕は日本に来る前は、いわゆる「ぺーぺー」で経営の知識などまったくありません。日本に来て会社をつくって、じゃあ経営のことを勉強しなければならないとなったときに、松下幸之助や本田宗一郎や出光佐三といった人たちの本の英語版をたくさん読みました。
つまり、僕は高度成長時代の人の考え方、経営哲学を学んだわけです。アメリカ式の経営の考え方よりも、高度成長時代の日本の先輩の考え方を吸収したつもりです。米国にいたころはビジネスや経営など全然勉強しませんでしたし、考えたことすらありませんでした。

馬渕：トッテンさんのような方がアメリカの経済界の主流であれば、かつての日米貿易摩擦も起こらなかったし、日本のバブル、そしてその崩壊ももちろん起こらず、「失われた20年」もなかったと思うんですね。
私は1981年から1984年までニューヨークの日本総領事館に勤務していましたが、その3年間、何をやっていたかというと、日本の貿易赤字に対するアメリカの政府、政治家、経営者の怒りをどう静めるか、そんな広報活動が仕事の中心でした。フォードの社長からクライスラーの社長に転じた有名なリー・アイアコッカ氏が、日本車の対米輸出に対し「日本叩き」をしていたころです。「日本はけしからん！」と叫びながら、アメリカ人は日本の自動車をハンマーで叩き潰していました。

ビル：日本叩き、つまりジャパンバッシングですね。覚えています。

馬渕：それに比べれば、いまはおとなしいですよ。トランプさんも「貿易赤字はけしからん」と言うことは言いますが、当時、1980年代初めの赤字額は100億ドルだったんです。それでアメリカは大騒ぎしたんですね。これは大変だ、アメリカ経済が大変なことになると。ところがいまや、中国に対するアメリカの赤字は3700億ドルです。

日米貿易摩擦というインチキ

ビル：でもその話、米国の言い分はインチキです。

馬渕：インチキというか、非常にアンフェア。

ビル：そう。

馬渕：アメリカ人が一番嫌う言葉ですよ、「アンフェア」は。アメリカ人は当時、日本のビジネスのやり方はアンフェアだと言っていましたが、そういう批判をしているアメリカが非常にアンフェアだったんですね。

ビル：どうアンフェアなのか、説明していきましょう。たとえば、日本人がフォードの自動車を買うでしょ。フォードは、安い賃金でつくるために工場をメキシコに置いているから、日本でそうした自動車を買ったら、それは米国からの輸入ではなくて、メキシコからの輸入になる。

米国企業は利益を増やすために、あっちこっちの賃金が安い国、地域で商品を製造しています。しかし、マレーシアでつくったフォードカー、メキシコでつくったフォードカーは、米国からの輸入ではありません。だから、米国が出している貿易赤字の数字はインチキなんです。米国メーカーの製品をいくら買っても対米赤字は減らないんです。

馬渕：それは大いにありますね。

ビル：米国は、勝手ばかり言いますから。

馬渕：日本も東西冷戦終了後、パナソニックなどの製造大手メーカーは、中国をはじめとする労働コストの低い開発途上国にどんどん進出しています。いまや、我々日本人だってメイド・イン・ジャパンのパナソニック製品なんて買うのに苦労するくらいです。

ビル：80年代は、日米貿易摩擦についての議論が盛んでしたが、その当時の日本製品は、まだほとんど日本でつくられていました。

馬渕：そうですね。当時はまだメイド・イン・ジャパンの製品は国際競争力が強くて、前述のように１００億ドルの貿易黒字を日本は出していました。トランプさんが言っている現在の対日貿易赤字は約８００億ドルですが、それもそういう意味では、１９８０年代の貿易赤字とは中身が違うんだと思うんですね。

ビル：全然違うと思いますよ。

馬渕：逆に言えば、グローバル経済の問題、マイナス面がそこにこそ表れています。

いままで我々の目に見えなかったものが顕在化している。たとえば、日産のカルロス・ゴーン元会長の背任問題です。

ビル：まさにその通りですね。

馬渕：彼について日本のいろいろな人が議論していますけど、あの事件も、グローバル経済のひとつの側面なんです。だから、いいとか悪いとかではなく、日本人というのはなかなかグローバル経済ではやっていけないということ。やっていけないし、価格競争が主流のグローバル経済のもとでは日本の製品は勝てません。それは、はっきりしているんですね。

ところが日本人はわかっていない。なぜかというと、先ほど述べたように日本の製品というのは、本来メイド・イン・ジャパンでなければなりません。ところがそれすらも、いまは風前の灯火《ともしび》となっています。メイド・イン・ジャパンだけれども、バイ・ジャパニーズ（by Japanese）、つまり日本人の手でつくられたものかどうかわからない製品が出回っている。こうなると、日本の製品というのは、もう本当に国際競争力がなくなっていくわけです。

ビル：かつては、松下幸之助さんやオムロンの立石一真《たていしかずま》さんのように、３００年先を見据えて経営をしてきた人がたくさんいました。ところが、いまの日本の経営者は米国の真似ばかり。だいたい、四半期ごとの成績しか見ていません。

馬渕：そうですね。株主や投資家の便宜のために、３カ月ごとに報告しなきゃいけませんから。

常に倫理観が伴う日本人のビジネススタイル

ビル：高度成長時代の経営者は３００年単位のスパンで事業を考えていましたが、最近はそうした視点は、ほぼなくなりつつありますね。

先日、読んだ記事でとても納得したものがありました。うろ覚えで恐縮ですが、日本人は大昔から、仏教、儒教、古神道の価値観を持っていました。それが、明治になると和服をやめて洋服にして、それから、どんどん西洋の価値観を取り入れて、次第に日本は弱っていきます。さらに、昭和20年の敗戦でマッカーサーがやってくると、そうした古きよき価値観をほぼ捨ててしまったというわけです。
僕が日本に来たころは、戦前生まれの人も多かった。彼らは従来の日本の価値観を持っていたのです。しかし、平成時代くらいになると、みんな引退してしまいました。
これに関して、最近、面白いことに気がついたんですよ。ちょっと話してもいいですか。

馬渕：どうぞ、どうぞ。

ビル：中国は、ずっと儒教、仏教、そして道教を信仰してきましたよね。その道教と古神道が、とてもよく似ていると思うんです。つまり、両者とも基本的に自然に感謝し、自然を大事にする点が。
一時期、毛沢東時代にそうした信仰は弱まりました。だが、いまの習近平の時代では、儒教、仏教、道教への信仰が中心となっています。中国の国力が上がって日本は横ばいとなっているのは、こうした道徳、信仰心の差に要因があるのではないでしょうか。

いまの日本は、2000年前から続く自国の道徳を戦後になって捨ててしまっていますが、中国は保ち続けている。

僕は、商売は道徳が大事だと思っています。日本は、その道徳心が弱くなってしまった、いや、あるいは失ってしまったかもしれません。

どうでしょうか。これは僕の勝手な思い込みでしょうか。ご意見をいただけますか。

馬渕：中国人の商売に関する考え方というのは、おそらく多くの日本人が持っているものと大きく違っていると思うんです。

ただ、いまトッテンさんが言われたことは、私の中国人理解とかなり異なっています。つまり中国人が、道徳に基づいてビジネスをしているとはどうしても思えない。

私の理解するところでは、中国人というのは個人主義というか利己主義的で、「儲ける」ということがいわば「道徳」であって、極論すれば「儲けるためには何をやってもいい」ぐらいの、そういうビジネスのやり方なんだと感じられます。

それは共産主義体制でも、それ以前の蔣介石《しょうかいせき》の国民党時代も、もっと前の清朝時代も、何も変わっていないという気がするんですね。もちろん、現在でも変わってない。中国人にとっては、たまたま、いまは習近平の共産党政権が存在しているだけなんですね。

自分たちが好きなようにビジネスができるのであれば、政治はどんな体制でもいいというのが、おそらく平均的な中国人の考え方であろうと思います。

もし本当に中国の人たちが、ビジネスに倫理観や道徳観を持ち込んでいるならば、今日のような環境破壊とか汚職とか大富豪と農民との超格差社会とか、その他いろいろないびつなものがはびこる状況には、なっていなかったのではないでしょうか。

簡単に言えば、トッテンさんのご指摘とは逆に、彼らに道徳意識がない……、いや、まったくないとは言いませんが薄い。そのように薄かったからこそ、共産党政権のもとでもひたすら金儲けビジネスに専念できたわけですよね。ビジネスというものに関しては、日本人と中国人、あるいはアメリカ人と日本人、アメリカ人とヨーロッパ人、それぞれ非常に大きなとらえ方の違いがあります。平均的な日本人にとってビジネスというのは、やっぱり倫理を伴うものなんですね。

ビル：ええ。

仕事という名の〝仏道修行〟

馬渕：そうしたビジネス観は昔からありました。おっしゃったように、江戸時代なんかは典型的でしたね。

そもそも、我々の仕事というのは仏道修行であったわけです。鈴木《すずき》正三《しょうさん》という禅宗のお坊さんに、農民が「自分は農作業で忙しいけれども、どのようにして仏道修行をしたらいいのか。どうしたら悟りに至れるのでしょうか」と質問したところ、「あなたは農業に専念することによって悟ることができる。つまり、農作業は仏道修行そのものだ」と答えたという有名な話があります。

それは農業だけではなくて、職人さんをはじめとする工業でも同じだし、商業でも同じこと。「商業もまた仏道修行だ」と言ったのが、有名な石田梅岩《いしだばいがん》です。「石門心学《せきもんしんがく》」ですね。

ただ、こういう考えは何も江戸時代に始まったものではなく、極論すれば、神代《かみよ》のころ、高天原《たかまがはら》の昔から、ずっと変わりがないんです。なぜならば、高天原で神々が働いていたわけですから。神々が働いておられるから、神々の子孫である我々が働くのは当たり前の話となるのです。

ちなみに、日本には「労働」という言葉はありませんでした。「労働」ではなく「勤労」なんですね。労に勤《いそ》しむ。これはどういうことかというと、神さまに出会うということだったんです。「かみごと」と言います。だから、日本人は嬉々として仕事に勤しむわけです。それが本来の日本の仕事観、勤労観だったのではないでしょうか。

明治維新になってそれを捨ててしまったという趣旨のことをトッテンさんはおっしゃいましたが、フランスの外交官で駐日大使を務めた有名な詩人でもあるポール・クローデルという人は、次のようなことを言っていました。すなわち、日本は明治維新以降、急速に欧米化し経済発展を遂げることができた。それは、日本が太古の昔から独自の文明を積み重ねてきたからこそ成しえたことなのだと。

いま私が申し上げたのも、そういうことなんです。日本はもちろん、明治以降、欧米的近代国家のやり方を受け入れましたが、しかし、決して西洋のさまざまな文物《ぶんぶつ》をそのままの形で受け入れたのではなく、日本の伝統的価値に合うような形につくり変えて、受け入れたわけです。

ビル：選んで入れた、ということですか。

馬渕：そう。「取捨選択」してきたわけですね。これを、「土着化」とか「日本化」と言う人もいます。結局、日本の国土が持つ「力」というのは、外国の文物を思想を含めて土着化できる「力」なんです。トッテンさんの本でも、先ほどのお話でも、マッカーサー時代にはまだ、そうした「力」が生きているというご指摘がありましたが、まさにその通りなんです。

つまり、我々は「西洋文明との戦い」というより「西洋文明を土着化することを目指した明治維新の戦い」に、まだ勝利していないんです、私に言わせてみれば。その道半ばであって……。その道半ばに大東亜戦争で敗北してしまったということなんです。

面白いことに、大東亜戦争の直前の1937年に、『国体の本義』という本が文部省から出ています。日本の国のあり方のエッセンスとは何なのか、つまり、まさに「国体」についての本です。1937年というと、支那事変が始まったところですね。

その本に興味深いことが書いてあります。「いまの日本は思想的に混乱している」と。つまり、自由主義、民主主義、社会主義、共産主義まで含めて、それらが大挙して大正時代に日本に入ってきます。厳密に言えばもっと前から入っていますが、「大正デモクラシー」と言われたように、その時代に一気に広まっていきました。

そのため、日本の思想界、日本人の思想が混乱してしまっている。それに対する一種の警告なんですね、この本は。

では、日本の国体、コンスティチューションと言ってもいいんですが、そのエッセンスは一体何かというと、「外国の思想や文物を日本化する力なんだ」と言っているわけですね。それがいま、不十分だから日本人が混乱している。だからその状態を克服しなきゃいけないと、同書は主張しているのです。

ビル：1937年当時には、まだ外国の文化を選んで吸収する力があったということでしょうか。

馬渕：いや、その当時はもう弱っているということですね。だから結局、大東亜戦争にも敗れてしまうのです。

ビル：なるほど。そして、いま、なおさら弱っているというわけですね。

マッカーサー式戦後政策の呪縛

馬渕：そう。ＧＨＱのマッカーサー司令官の戦後政策によって、日本の伝統的精神は封建的な遅れたものとしてさらに弱められたんですね。

だがどうも、まだ日本の文化の根底には、そういう土着化する力が残っていると思います。テレビなどで、日本に長く住んでいる外国の方の討論番組を見ていると、日本の特徴として、そういう「土着力」を指摘される方が多いんですね。日本の力というのは「日本化する力」だと。

卑近な例ですが、たとえばスパゲッティはもちろんイタリア料理ですが、日本には「和風スパゲッティ」があるでしょう。インドのカレーがいつの間にか「カレーライス」になるというのも、日本らしいですし。本来は中国のものである麺も、やはり日本の「ラーメン」になったわけですからね。

ビル：インドのカレーは、辛すぎでしょ。日本のはわりと……。

馬渕：わりとマイルドですよね。

ビル：ですね。

馬渕：そういうふうに、つくり変えていく。先ほどの例は、ちょっと身の回りに寄りすぎですが（笑）。とにかく日本は、このように日本の国土に合うように、外国のものをつくり変えてより良いものに仕上げて受け入れてきました。日本人のＤＮＡには、昔からそういうことを行う能力が組み込まれていたと思うんです。それを改めて文章の形で表現したのが、芥川龍之介でした。

芥川龍之介は大正時代に多くの短編を執筆しました。1922年、つまり大正11年に書いた作品のひとつに『神神の微笑《びしょう》』という本があります。私は、この短編こそ最も優れた日本文化論であるとして、いろいろなところで引用するのでご存じの方もいるかもしれませんが、内容はキリスト教を布教にきたオルガンティノというイタリア人、実在の宣教師の物語です。

ネタバレになりますが、その結論は「キリスト教が日本に来たら、日本的なキリスト教になってしまう。ひょっとするとキリストも日本人になるかもしれない」ということ。古来、日本を守っている霊が、そういうことを言います。その霊が言う次のひと言が重要なのです。

「私たちの力、日本の伝統的な力というのは、破壊する力ではないんだ。つくり変える力なんだ」と。

ここがポイントなのです。芥川龍之介は1922年、ということは大正後期ごろの日本の現状を鋭く見抜いていました。

「まだ我々は充分に西洋文明、つまり明治維新以降に入ってきた西洋文明を、日本化することができていない。それができるかどうかは、今後の日本人の力、作業にかかっている」

この小説はここで終わっています。

結局、そうした〝日本化する作業〟が十分にできなかったので、先ほど申し上げた『国体の本義』という本を、当時の文部省が出さざるをえなかった。『神神の微笑』の15年後のことです。

そのあとマッカーサーが来て、日本を「社会主義化」しようとするわけですね。

マッカーサーの副官のほとんどは、「ユダヤ系の左派ニューディーラー」でした。ルーズベルト大統領がアメリカを社会主義化するために推進した「ニュー・ディール」政策にかかわったユダヤ系左派の人たちが、日本を社会主義化しようと数々の占領政策を打ち出したわけです。

だから我々はよく、「マッカーサーのもとで日本は民主化された」などと言いますが、本当は「社会主義化」されてしまったんですね。その後、占領は終わりましたが、GHQ＝マッカーサーが残した社会主義化政策も含めて、そういう外国の文物というか、思想、考え方をまだ十分に日本化できていない。そこが、ずっと戦後75年にわたる、日本のいわば「戦い」でもあったわけですね。逆に楽観的に言えば、日本人は、GHQの日本弱体化政策をそのまま受け入れることはしなかった。つまり、完全にはマッカーサー化されなかったわけです。

だから私は、いよいよ新しい令和の御世が2019年の5月から始まりましたが、これを機に、芥川龍之介が言ったように、本当の意味で西洋の文物を日本化することをやらなければならない。そういう時期にさしかかっているのだと思います。

こうした視点から見ても、改めてトッテンさんの『本当はもっとよくなるニッポンの未来』という本は出るのが早すぎでした。いまこそ日本人は、ここに書かれていることがよくわかるようになってきていると思うんです。

ビル：いま、我々が話しているこの本もそうでしょう。

馬渕：まさに、そう思います。これから本当に日本がグローバリズム、あるいはアメリカ式経営といったものを「日本化」することができるかどうか。これが問われています。それをやらないと、本当に日本は沈没してしまいます。

芥川龍之介が言った「我々の作業」、すなわち、外国の文物をつくり変えて土着化する。この作業に失敗したら、日本という国の存在はなくなってしまうはずです。

第2章

世界のマネーの動きに抗う日本企業のあるべき本質

イスラエルの〝植民地〟となったアメリカ

ビル：ここまで話してきたことを踏まえたうえで、さらに指摘したいことがあります。士農工商に分かれていた江戸時代が、すごく豊かな時代だったでしょ。そのことから僕は、民主主義がだんだんとバカらしく思えているんですよ。

馬渕：えっ、どういう意味ですか？

ビル：資本主義は、資本家しか儲かりません。いま、資本主義で経済を運営していますが、資本家の取り放題になっているのが現状です。一方、士農工商は資本主義の正反対ですよね。士農工商は、その名の通り一番身分が低いのは商人です。その点は、ヨーロッパも同様でした。具体的には、ユダヤ人商人がお金を管理していたわけです。16～18世紀にかけて、だいたい、みんなのお金を管理する大番頭はユダヤ人でした。ユダヤ人は差別、迫害されていたため土地を買えません。だから、国際金融くらいしか仕事がなかったのです。また、やはり差別のため市民権もありません。だから、政治に影響を与えないユダヤ人が、お金を管理していったのです。

こうしてみると、16〜18世紀のヨーロッパの制度と日本の江戸時代の士農工商は、かなり似ていた部分があったといえるでしょう。ポイントは、お金をたくさん持っている人たちが、ヨーロッパでも日本でも政治に影響を与えられないということ。

ところが、いま米国ではほとんど、「商」「工」「士」のような、お金持ちだけが政治を動かしている。多額の政治献金で、自由自在に政治を操っているわけです。

馬渕：なるほど大変面白い指摘ですね。資本主義、つまり資本家しか儲からない資本主義の正統性を担保するために、あるいは資本主義のカラクリを大衆から隠蔽するために、資本主義＝民主主義という洗脳が行われているということですね。続いての問題提起であるヨーロッパと江戸時代の商人の地位の比較は、たしかに当初はそうですよね。ところが、ご指摘の通り、だんだんユダヤ系の人、あるいはいわばユダヤ社会が、政治的な力を持つようになってきています。

ビル：そうですね。

馬渕：いま、アメリカではWASP《ワスプ》（White Anglo-Saxon Protestant＝先祖がヨーロッパからやってきたアングロサクソン系でプロテスタントの白人エリート）とユダヤ社会との力関係が逆転してしまったわけですから。

ビル：アメリカはイスラエルの植民地です（笑）。

馬渕：たしかに、いまのトッテンさんの発言は、アメリカの現状を象徴的に表していると思います。トランプ大統領を含め歴代の政権がイスラエルを重視してきたことは事実だとしても、アメリカのユダヤ社会はいわば「ディアスポラ」、つまりイスラエルに帰還しないユダヤ人で成り立っているんですね。だから、イスラエルとウォール街は必ずしも一枚岩ではありません。

ビル：ただですね。僕の義理の兄がユダヤ教の牧師、ラビをやっているし、日本に来る前にいた会社でも、ユダヤ人上司の下で働いていました。そこではスタッフもほとんどユダヤ人でしたが、皆、非常に尊敬に値する人ばかりでした。

馬渕：おっしゃる通りです。私もイスラエルに長くいまして、そこで出会ったユダヤ人とはウマが合ったんです。イスラエルにいるユダヤ人にも、日本が大好きな人がたくさんいました。日本の研究をしている人も多くいて、たとえば、日本の神道で言う「禊《みそぎ》」というのが「ピューリタン」に見えるんでしょうね。その禊の研究で博士号を取った人もいるくらいです。当時、私が付き合っていたユダヤ人の学者でも、日本研究者はたくさんいました。そういう意味では、ユダヤ人と日本人というのはウマが合うところもあるんですよね。

そのうえで、私自身もいまいちよくわからないのは、シオニズムとは、もともとは世界中に離散したユダヤ人たちが、自分たちの祖国をエルサレムにあるシオンの丘に建設しようという運動だったわけです。つまり、シオニズムは極めてナショナリズムなんですね。

ビル：たしかにそうですね。

馬渕：ところが、多くのユダヤ人にとって、「ナショナリズム」というのはあまり好みではありません。なぜなら、ご承知の通り、ナショナリズムゆえに、ユダヤ人は弾圧されてきたからです。ゲットーに閉じ込められたり、ナチスに迫害されたり……。その一方で、シオニズム、シオニストという言葉は、現在は多くの場合、悪い意味で使われていますね。

ビル：ええ。

馬渕：私はむしろシオニズムというのは、彼らの民族意識が高まった運動であったのではないかと思うんですね。だから私が言いたいのは、この先、ユダヤ人の大半がいい意味で民族主義に徹してイスラエルという国を大切にするようになれば、我々が想像している一般的なユダヤ人像とは違ってくるということ。我々がイメージするユダヤ人像は、シェイクスピアの小説が正しいとは言わないけれども、『ヴェニスの商人』に出てくる高利貸しのシャイロックのような感じでしょう。

ただこうしたユダヤ人は、いわばディアスポラ・ユダヤ人のイメージです。いま、アメリカはイスラエルの植民地になっているとトッテンさんはおっしゃいましたが、先ほど申し上げた通りイスラエルの植民地というよりも、むしろ私から見れば、「ディアスポラ・ユダヤ人の植民地」というか、ディアスポラ・ユダヤ人が、いまのアメリカのエスタブリッシュメントになっているという感じがします。

ビル：そうですね。

馬渕：それが、ディープ・ステート（国際金融資本家を頂点とする影の政府）なんですね。

ケーディスが参考にしたワイマール憲法の落とし穴

ビル：経営者の視点から見ると、社員とお客さんを大事にしているあいだは、会社は元気です。

一方、経営者と株主がワガママになって社員とお客さんのお役に立っていなかったら、会社は潰れます。

たとえば、アメリカの航空機メーカーなどは危ないと私は思っています。彼らは乗客の安全よりも、自分たちの利益を第一にした経営をやっていたから、すぐに事故を起こすような機体しかつくれなくなりました。

政府にしても経営者にしても、自分が利益を取り放題ではなく、まず責任感を重んじて仕事をすべき。この責任を軽んじると、会社は弱くなっていきます。

マッカーサーが正しかったとは思いませんが、戦争に負けたとき、日本政府に不信感を抱いた日本人は多かったでしょう。

日本人は、昭和20年に戦争に負けて、日本政府の命令で行っていたことが正しくなかったことに気づきました。その一方で、アメリカ人は日本人を皆殺しにしたり強姦したりすると教えられていたのに、いざマッカーサーが来たら、チヨコは配ってくれるは、やさしくしてくれるはで、いままで教えられてきたことが、実はウソだったということがわかったんです。

「なんだ、マッカーサーはやさしいじゃないか」

日本人はきっとびっくりしたと思います。これは想像ですけどね。

馬渕：まあ、そういった側面が、日本人の心理に決してなかったわけじゃありませんが……。こう申し上げるのは失礼かもしれませんが、戦後、進駐軍は実際にたくさん強姦事件を起こしました。そうした悲劇を、我々は皆、目の当たりにしているわけですね。
1948年に三菱財閥の創始者である岩崎弥太郎《いわさきやたろう》の孫娘、沢田美喜《さわだみき》さんがつくった「エリザベス・サンダースホーム」なんて、まさにそのせいで生まれた、誰も面倒を見てくれない混血孤児のための養護施設ですし……。やはり、すべてのことについて言えることですが、物事には両面があって、単純に「あれは良かった、これは悪かった」というように、うまく分けられません。

ビル：おっしゃる通りですね。

馬渕：もうひとつ、私は戦後の日本が混乱を来した原因は、GHQやマッカーサーというよりも、マッカーサーの配下にいた多くのニューディーラーにあると考えています。
ニューディーラーというのは、第1章でも述べたように社会主義者なんです。社会主義者であると同時に、もっとはっきり言えばユダヤ系の人たちなんですね。日本国憲法をつくったケーディス大佐なんかもそうです。

ケーディスが、何を根拠にあんな憲法をつくったかというと、ワイマール憲法です。ワイマール憲法をつくったのもユダヤ人でした。あれは制定当時、1919年ごろのドイツにおいて、人口の1％しか占めていなかったユダヤ人のための憲法なのです。それをそのまま日本に移したというのが、日本国憲法の真相なんですね。

だから、日本人にしてみれば、とんでもないことが書いてあるわけです。たとえば、「国民には教育を受ける権利があり、親は子どもに教育を受けさせる義務がある」と書いてありますが、日本ではすでに江戸時代から寺子屋などを通じて教育が盛んでしたから、そんなことをわざわざ憲法に書かなくても、日本の親はなんとしてでも子どもに教育を受けさせようとするわけですね。

では、なぜそんなことが憲法の条文となったのか。これは、あるユダヤ系の人の書籍（『あるユダヤ人の懺悔　日本人に謝りたい』沢口企画）にあり、私も感心したのですが、ワイマール前のドイツにおいて、ユダヤ系の人は教育の機会が均等にはありませんでした。自分たちはちゃんとした教育を受けられなかった。だから、それをワイマール憲法、そして日本国憲法に書き込んだのです。

ビル： なるほど、状況が違いますね。

馬渕： そう。全然、日本と違いますよね。ところが、そのような視点が戦後の日本の歴史、歴史観、あるいはＧＨＱの研究においてすっぽり抜けていたわけです。ただし、そういう本質的なことは、アメリカでもヨーロッパでもなかなか言うことができませんが。こうしたことを言わせない勢力が、いままで世界をある意味でゆがめてきたと言ったら言い過ぎでしょうか。やはり、我々が世界の全体像が見えなくなっている最大の理由が、そこにあると思うんですね。

アメリカの歴史と政治を取り戻そうとするトランプ

馬渕： 私は常に言ってきましたが、こうした歴史の本質を無視する源流は、１９１７年のロシア革命まで遡ります。ロシア革命の真実は、いまだ世界に知られていないというか、隠されているのです。

ロシア革命とは、端的に言えばロシア帝国で迫害されていたユダヤ人を解放するためのものだったのです。18世紀のポーランド分割により、ロシア領内に多くのユダヤ人を抱えることになりましたが、彼らは自分の生活様式を変えませんでした。さらに、そうしたユダヤ人は商業の才能が高いですから、ロシア農民を搾取します。そのためロシア人は、ユダヤ人を憎み迫害するようになったのです。

そうしたユダヤ人を解放するために、トロツキーやレーニンたちは革命を起こしました。実際、トロツキーはユダヤ人ですし、レーニンもユダヤ人クオーターだったのです。

つまりロシア革命とは、教科書に書かれているような「人民による革命」などではなく「ユダヤ人革命」だったということ。このように、我々はロシア革命の真実を知らずして歴史を見ているから、間違ってしまうわけです。

これから本当に、私たちの歴史を取り戻さないといけません。トランプ大統領がいみじくも言っていた「政治をアメリカのピープルに取り戻す」ということは、我々日本人にしてみれば、歴史を自分たちの手に取り戻すということです。もっと言えば、GHQの政策によってゆがめられた日本の歴史を、取り戻すことだと思います。

それを唱えたのが安倍晋三首相です。「日本を、取り戻す」というスローガンでした。

2006年に第一次安倍内閣が発足したものの、いざ政権についたら1年でアメリカに潰されてしまいます。この理由は、アメリカにまだその用意がなかったから。当時のアメリカは、日本を潰したい勢力が支配していたわけです。

ところが、トランプ大統領になって変化が現れました。そうした勢力とトランプ支持勢力のパワーバランスが拮抗《きっこう》しています。いや、拮抗しているどころか、そろそろトランプ勢力が有利になってきているのではないでしょうか。

その典型的な例が、「ロシアンゲート」です。モラー特別検察官の捜査報告書がまさにそうであったように、結局何も出てきませんでした。私は最初から出てくるはずがないと思っていました。日本の「モリカケ」と一緒です。疑惑があるから捜査をしたというより、最初からトランプ大統領を引きずり降ろすために捜査をやったようなものですからね。

ところが、メインストリームのメディアは、最初からモラー特別検察官の捜査を応援し、大げさに「トランプ疑惑」を報じ続けました。いわば、モラー氏による捜査と共謀したと言ってもいいでしょう。日本のメディアはアメリカのメディアの報道を右から左に流しているだけです。これでは、私たちは真実を知ることができません。

このへんはアメリカに長くおられ、知り合いにユダヤ系の方もいらっしゃるトッテンさんに伺いたいところですが、やはりユダヤ系で国家安全保障問題担当大統領補佐官などを歴任したズビグニュー・ブレジンスキー自身が生前にはっきりと言っているように、いまやユダヤ社会が、ワスプを引きずり降ろしてアメリカのエスタブリッシュメントになったんだと。これはやはり、彼らがそう言っているのだから、その通りだと思うんですよね、私は。

げんに、これまでのトランプ大統領が出てくるまでのアメリカを見ていると、ユダヤ思想というものがアメリカ中に浸透していると、公平に見てもそう言えると思います。アメリカ人自身が、知らず知らずのうちにユダヤ思想に染まっていたわけです。

これに関して、おそらくユダヤ思想が悪いというよりも、具体的には彼らが標榜する「グローバリズム」、あるいは彼らの言う「普遍主義」、さらに別の言葉で表せば「ポリティカル・コレクトネス」が問題なのです。これらに負の側面があるということを、初めて明確に述べた大統領がトランプ大統領ですよ。

ビル：そうですね。

馬渕：だから私は、トランプさんに期待するんですね。トランプ大統領は女性蔑視主義者だとか人種差別主義者だとか、そういった根拠のないメディアの中傷報道に洗脳されて、トランプさんの真の狙いを見誤ってはいけません。

ビル：そうかもしれません。

馬渕：彼がいまやろうとしていることは、まさに、アメリカの政治やアメリカの歴史を、自分たちの手に取り戻すということ。なぜトランプさんが「アメリカ人によって統治されるアメリカ」と、我々から見たら当たり前のことを主張しなければならないのか。それが、トランプ大統領が置かれているいまのポジションを象徴している「事件」だと思います。

ところが、日本のメディアはその意味をまったく報じないし、そもそもそこに意味があることすらわかっていません。

もうひとつ、2019年初頭にトランプさんが述べた一般教書演説で私が注目したのは、「アメリカは社会主義国にはならない」と述べていることです。我々の常識から考えれば、資本主義国であるアメリカの大統領が、なぜ、わざわざ「自分たちは社会主義国にはならない」と言わなければならないのでしょうか。それは、グローバリズム勢力というかディープ・ステートの進めている政策が、社会主義政策だからだと私は見ています。いかがですか。

ビル：ちょっと気になるのはね、おっしゃっていることは正しいかもしれませんが、全部の「ユダヤ人」が悪いというように、読者に誤解してほしくありません。

僕から見ると、ユダヤ人のなかでもそういうことにかかわっている人は、極端なユダヤ人。大部分のユダヤ人は違います。

馬渕：それはその通りですね。先ほどイスラエル内のユダヤ人について述べたように、私も誤解されないように説明します。ディープ・ステートのユダヤ人については、左派ユダヤ人、あるいはグローバリスト・ユダヤ人といったほうが正確ですね。

日本企業の伝統だった「君民一体主義」

ビル：むしろ、僕は前にも述べたように民主主義に反対なんです。企業を例にとれば、その経営方式は民主主義と正反対じゃないですか。社員が投票で社長を選ぶなどということは、ありえませんよね。また、江戸時代は、やはり民主主義ではありませんでした。儒教、仏教、古神道の道徳で社会を律していたのです。うちの会社は、トップダウンです。全社員は就職活動のときから企業理念「哲学と信念」という価値観を共有してもらっています。すなわち、お客さまにとっての最高、社員にとっての最高、取引会社にとっての最高という3つの最高を目指そうというもの。

この価値観に合わなかったら、誰もうちには来ないでしょう。これが我々の道徳で、すべてはここから始まっています。こうした価値観を守っているので、うちの組織はうまくいっているのです。

ダメな会社は潰れていく反面、うちだけではなく生き残っている会社はみんな、江戸時代のような価値観で商売をやっているのではないでしょうか。「上の地位になるほど取り放題」ではなくて、上の地位の人ほど、お客さんや社員に対して責任を感じるような。そのような良心的な会社は持続的成長を続けられます。こうしたやり方は、民主主義とは正反対。だから僕は、これを「江戸主義」と呼んでいます。

馬渕：なるほど。日本の伝統的な言い方でいえば、「君民一体主義」とも言えるでしょうか。主義であるかどうかは別にしても「君民一体」なんです。日本の一流企業の社長が、なぜ、いわゆるグローバル企業のトップのように10億円、20億円もの給料をもらわないのかというと、君民一体の精神が昔からあるからなんですね。

君民一体というのは、日本における伝統的な天皇と国民との関係です。これは、支配者と被支配者の関係ではなくて、お互いがお互いを支え合う体制なんですね。そういう意味で、私は自信を持って言いますが、日本は世界中で最も先進的な民主主義国なんです。

ビル：なるほど。そういう見方もできますね。

馬渕：それを支えているのが、君民一体の考え方。日本は神々の昔からそうだったんです。つまり、いまの天皇の皇祖にあたる天照大神という女神さまがいらっしゃいましたが、その女神さまも、自分で物事を決めていたわけではありません。周りの神々が協議をして決めて、最後に、それでいいかどうかを天照大神に伺うわけですね。

それで「けっこうだ」とおっしゃられたら、物事が始まる。この伝統的な方式で、ずっときているわけです。

だから、日本の天皇というのは日本の「権威」であって、決して「権力」ではありません。日本の天皇というのは日本なんです。決して独裁国ではないし、そもそも日本では独裁者は出てきません。ときどき出てきそうになりますが、必ず最後は潰されます。歴史的にはまだ証明されていませんが、たとえば織田信長が天皇の地位をしのごうとして、明智光秀に殺されたというのが象徴的ですよ。

このように日本では、誰も天皇を超える権威を持てません。天皇に代わって権威を持とうとした人は、必ず潰されてきました。そういう国柄なんです。しかも天皇は、民のことを「御宝《みたから》」、つまり「国の一番の宝」と考えてきました。日本式経営も、これと一緒。君民一体からきているので、経営者にとって社員は大御宝なのです。会長であるトッテンさんにとってもそうでしょうが、社員は宝なんですね。だから、日本の経営者はクビ切りは絶対にしなかったんです。過去はそうでした。いまは変わってしまいましたが……。

ビル：私たちはクビ切りしません。

馬渕：トッテンさんはそうですが、いまやパナソニックもソニーも平気で従業員のクビを切ります。それはなぜかというと、社員を「大御宝」ではなくて「コスト」ととらえるようになったから。これがアメリカ式経営です。そして、失礼ながら、これを取り入れたから日本の会社はダメになったんです。

ビル：そうですね。

馬渕：だから、日本の企業がかつての競争力を取り戻すにはどうしたらいいかというと、君民一体の精神に戻ればいい。つまり、社長と社員の関係が君民一体的になればいいということなんです。

ビル：おっしゃる通りだと思います。

馬渕：日本の場合は、国難のとき、危機のときは必ず「復古」します。つまり、もとに戻るわけです。日本のもとの体制というのは、先ほどから述べているように君民一体です。ところが、いまの日本はそこに戻れていません。
そもそも「君民一体」が、我々のコンスティチューション＝国体だということに気づいている日本人がほとんどいなくなりました。それが残念です。結論から先に言えば、今後、日本が生き延びるにはどうすべきかというと、君民一体の精神を大切にしなければならないということです。天皇陛下は毎日、国家の繁栄と国民の幸せ、そして世界平和を祈っておられます。天皇陛下は、こういう「君」なんです。それに対して、君を支える民である私たちは、被支配者として支配者を支えるのではなくて、自分たちの「分《ぶん》」を尽くす、つまり一人ひとりが自らの特性に基づいた役割を果たすことこそが「やるべき仕事」なのです。

ビル：責任とも言えますね。

馬渕：そう。一人ひとりが自らの責任を果たすこと、それがすなわち陛下を支えることだという、そういう〝信仰〟を守りながら日本人は生きてきたのです。我々は強制されなくても、毎日、日々の生活をまっとうすることによって、陛下を支えている。そういう関係なんです。

ビル：うちの会社に来て社員に話していただきたいです（笑）。

馬渕：いつでも、お話しします（笑）。それができれば、日本はあっという間にまた経済成長を取り戻すでしょう。

自国民を大切にしないアメリカの企業論理

ビル：そういう意味では、うちは株主がいません。
馬渕：公開しておられないんですか。
ビル：ええ、株式公開はしていません。僕は一番多く株を持っていましたが、数年前に持ち株会社を立ち上げ、みんな株を売りました。現在は、一定数の役員（株主）で均等に所有しています。
役員になるためには、株を買うために相応の金額を出さなければなりません。ただし、役員を引退するときに、それが全額、同額かつ利息なしで返ってきます。だから、持ち株会社は1銭の利益も取っていません。
この春入社した新入社員と取締役の平均給料の差は5、6倍程度。役員と平均的な社員の差は、それ以下です。だから社員は、役員や社長のためではなく、自分のために働いているとわかっています。

いま、馬渕大使がおっしゃった言葉「君民一体」。これはやはり、トップが権利を求めるのでなく、しかるべき責任をちゃんと果たしていれば、社員もお客さんもそれをわかってくれて、ついてきてくれるということでしょう。逆にトップがわがままになればなるほど、当然、会社の信用も失われていきます。

僕は経営者として、とてもラクに過ごしてきました。バカ正直で、ずるいことをしてないから、社員がしっかりと働いてくれるわけです。反対に、もし僕が社員を大切にせず搾取していたら、彼らは間違いなく一生懸命働いてはくれなかったでしょう。

僕は大使と比べたら、当然、日本の歴史の知識はごく浅いですが、なんとなく、そこが日本と米国の大きく違う点だと思います。

松下幸之助は、自分が一番税金を払っていることを自慢していました。本田宗一郎もそうです。ところが、いま、日本の巨大企業は、ほとんど税金を納めていないでしょう。

馬渕：えっ、そうなんですか？

ビル：どの会社も、賃金や税金が安い場所へ工場や本社を移してしまっています。つまり、すっかりアメリカナイズしてしまったということなのです。

先ほど述べたように、かつての名経営者たちは、税金を払っていることを自慢に思っていました。これは江戸時代から高度成長期までの、日本の商売人の価値観だったといえるでしょう。

米国はその正反対だから、国力は弱まってしまい貧富の格差がどんどん広がっています。ボーイングやエアバスは、中国販売用の飛行機は中国で組み立てているんですよ。

馬渕：中国で組み立てているんですか？

ビル：ええ。そうなると、数年間のあいだに中国はその技術を吸収して、安い賃金で自国製飛行機をつくるでしょう。そして、ボーイングやエアバスを潰すんですよ。結局、欧米の企業は、長期的には自分の国、国民を大事にしていないことになるんです。

馬渕：なるほど。それが、グローバル経済のエッセンスだと思いますね。先ほどおっしゃっていたことで、私、非常に感心したことがあります。社員の方が自分自身のために働いているという趣旨のことをおっしゃいましたけど、それは言い換えれば、自分のために働くことが、すなわち、トッテンさんのために働いていることであり、それは会社のために働いていることになるわけですよね。

ビル：ええ、そうですね。

馬渕：日本の会社はそうあるべきだと思うんです。反対に、社員が自分の給料のためだけに働こうとしている会社は絶対に伸びない。

ビル：その通りです。ところが、日本の大企業の多くが民主的に社長を決めるようになったら、みんなアウトになっちゃいました。

馬渕：ほんと、そうですね。金融庁と東京証券取引所が作成した、企業統治の指針となるコーポレート・ガバナンス・コードで推奨している委員会方式です。

従来、社長を含め会社役員は社員のなかから選ばれていたのですが、このコードに従い、まず国際性やジェンダーなどに配慮して外部から社外取締役を加えるようになりました。さらに進めて、役員を会社の経営陣が選ぶのではなく、株主代表なども入った外部の委員会が、社長まで指名するようになりつつあるわけです。

これは私の経験からいえば、共産党方式というか共産主義のやり方です。私がソ連にいたときの共産主義社会では、実際に会社を運営している人はいますが、さらにその上に共産党がいたわけですね。そういう人たちがいろいろと口だけ出すんです。当然、企業は混乱、衰退していきます。

ビル：そういう人たちには権利がある反面、責任がありませんからね。

馬渕：まさに、そうです。だいたい近ごろは、取締役会の議長を外部の人間が務めるパターンも数多く見られます。これがグローバル経済なんです。日本のように君民一体、つまり家的、共同体的な会社経営ではないんです。外から来た人が、自由に会社の経営に物申すような時代になってしまいました。

ビル：もっとも、うちはそれを不可能にしましたね。他人である株主が口を出せない仕組みがいいんです。僕の後任者は社長になるまで31年間、一緒に働いていた人物で、よく知っています。

私には娘がふたりおりますが、幸いどちらも会社に興味がありません。もし息子がいたら、僕も社員より息子を大事にしてしまう誘惑に勝てなかったかもしれません。しかし、運がいいことに息子はいないし、娘も会社に興味がないので、そうした誘惑と戦う必要がありませんでした。

そういう意味で言えば、大使も、大使の家族のためだけに働いているのではない。国のために働いているわけでしょ。

馬渕：家族のために働くことは結局、国のために働くことにもなるというのが、我々日本人の勤労観であって、結局ずっと昔から同じなんです。つまり、私たち一人ひとりに、かけがえのない役割があるという思想ですね。〝信仰〟と言ってもいいかもしれません。

日本には八《や》百《お》万《よろず》の神々がいて、それぞれの役割が違うわけですね。風の神さま、火の神さまといったように。しかし、役割は違うけれども、それぞれかけがえのない役割があります。だから、神々は共存できるんですね。

私はよく言うのですが、日本は、1億2000万の神々が住む国なんですよ。だから、自分に与えられた役割を果たすことによって、会社に貢献することになり、それを通じてひいては社会に貢献し、日本に貢献する。そして、これはすなわち、天皇陛下に貢献していることになるのです。

天皇陛下のお仕事というのは、日本を「しらす」ということなんですね。古事記にも日本書紀にも、そう書いてあります。「しらす」というのは支配することではなくて、日本をまとめて栄えさせるということなんです。そのためには、国民の協力、支えがなくてはなりません。そしてその結果、国民が幸せにならなければなりません。

ですから、いま申し上げたように、君民一体で国民が幸せになるということは、イコール天皇陛下のお仕事を助けることとなんですね。これを、昔の人は知っていたのです。

戦前までの日本人には、どんなに貧しい生活を送っていても、自分に与えられた仕事に専念することによって、究極的には陛下を支え、そして日本国を支えているんだという、そういう気持ちがあったんだと思うんです。

新しい天皇陛下と上皇陛下に求めるもの

ビル：2019年5月、新しい天皇陛下が即位されました。いま、国民の支えとおっしゃっていましたが、やはり寄る年波にはなかなか勝てないのではないかと。だから、崩御するときまでご苦労なさるよりも、ちょっと早めに退かれて、余生を楽しんでいただきたいと思っていましたが、いかがでしょうか。

馬渕：そのようなお考えがあることは理解できます。ですが、問題があるとすれば、上皇におなりになって、何か公的な仕事をなさるようになるということ。もしこのような事態になると、大変申し訳ありませんが、権威の二重構造を招きかねず、混乱を引き起こす可能性が排除されません。だから私は、上皇になられた以上は、天皇とのかかわりを地理的に断つ意味からも、また一切の公務から退く意味からも、京都にお帰りいただくのが望ましいと思っています。

ビル：京都御所に帰ってくださいということですね。

馬渕：京都の御所で生活していただいて、新しい天皇とはまったくコンタクトせずにいないと、国民から見たら二君にまみえることになってしまいます。

ビル：ああ、なるほど。

馬渕：平安末期と現在とは時代が違うとはいえ、歴史を見れば、上皇と天皇が同じ場所におられると、混乱を招く危険性がないとはいえないわけです。

ビル：上皇はそういう危険性を、ご認識されているのでしょうか。

馬渕：当然認識はされていると信じていますが、公務は続けるとおっしゃっています。だから政府専用機も使うと。そうなると混乱が生じやしないか、心配です。

ビル：うちの会社の場合、２０１２年に僕は社長を退き会長になりましたが、後任者は社長になりたくありませんでした。なぜなら、どうせ形だけの社長で、僕が裏にいるんだろうと思っていたからです。ですから、数カ月かけて僕がかかわらないような仕組みに移行しました。もちろん現在も一切関知していません。あくまで、求められたときのみ「協力」しているだけです。

僕は天皇について詳しくはありませんが、本当はすっぱり引退したいと思われているのではないでしょうか。

馬渕：それはそうなんだと思います。周りの方に間接的にしか聞いていませんが、やはり相当健康上の影響が出てきているそうで、こういう言い方は大変失礼ですが、公務にも差し障りが出てきているそうです。そういう意味では、譲位されるというのはひとつの方法ではあるんですね。

しかし、技術的な話をすれば、譲位しなくても摂政《せっしょう》を置くのでもいいのでは、という議論もあります。

譲位は、特別法で認められました。しかしながら、皇室典範本体には書いてありませんし、もちろん憲法にも規定されていません。だから、これはかなりの冒険であるし、譲位する以上は完全に権威の座から離れなければならない、というのが、私の希望なんですね。

なぜなら、そもそも「天皇は、日本国の象徴であり日本国民統合の象徴であって、この地位は、主権の存する日本国民の総意に基づく」という憲法第1条に違反するからです。天皇は日本国民統合の象徴ですから、天皇と上皇が並列すれば、憲法第1条に違反することになってしまいます。ところが、誰もそんな議論をしてきませんでした。「陛下、ご苦労さまでした」で終わっています。私も一国民としてはまったく同じ気持ちですが、それと同時に、譲位されて名称が上皇になられたら、完全に〝権威〟を天皇にお渡ししていただきたいというのが、正直な気持ちですね。いや、私の気持ちというより、国民の気持ちではないでしょうか。

ビル：摂政制度というものを大使、もう少し説明してくださいませんか。

馬渕：皇室典範の第16条に次のようにあります。

「天皇が成年に達しないときは、摂政を置く。また、天皇が、精神・身体の重患か重大な事故により、国事行為をみずからすることができないときは、皇室会議の議により、摂政を置く」と。

本来、これで何も問題ないはずです。実際、大正天皇はお体が弱かったから、若かりしころの昭和天皇が摂政を長くお務めでいらしたわけですしね。

法律的にも定義されていない「公務」のあり方

馬渕：メディアなどが強調していた上皇陛下のお言葉で、憲法に言う象徴天皇はいかなるものかということを、自分は常に考えて試行錯誤してきたという趣旨の発言がありました。メディアは、上皇陛下が憲法を遵守《じゅんしゅ》しておられたとの印象操作に重点を置いていたように感じましたが、このようなメディアの姿勢は天皇のあるべき姿を誤解していると思います。

前にも述べたように、天皇のあるべき姿というのは昔から決まっていて、「しらす」こと以外ありません。「しらす」とは国民をまとめることです。天孫《てんそん》降臨《こうりん》の瓊瓊杵尊《ににぎのみこと》以来3000年ずっとそうなんです。それを、現行の憲法のもとで「象徴天皇」と言っているにすぎないんです。

日本国民統合の象徴というのは、日本国民をまとめる存在のことですから、天皇の本質は日本国憲法のもとでも変わってはいません。だからこそ、「象徴とはどういうことかを試行錯誤してきた」という趣旨のご発言は、３００年に渡り引き継がれてきた高天原の大御心を昭和憲法の下でどう表現するかに苦心してきた、との趣旨だと解釈するべきなのです。

天皇としての本来のありかたを実践しているということは、それはそのまま、「象徴としての天皇」となるわけですから。私は今上《きんじょう》天皇を歴代の天皇とは違う〝個人〟としては見ていません。

ビル：天皇という「役割」を見ているわけですね。

馬渕：そう、役割です。だから、今上天皇は天照大神でもあり、瓊瓊杵尊でもあり、初代の神武《じんむ》天皇でもあるんですね。それを貫くものは、大御心です。つまり、天皇は大御心でもって、日本をしらしておられる存在なんです。

我々はたまたま、いま、物理的には令和時代の天皇を目にしておりますが、その今上天皇とはつまりは１２６代の天皇そのものなんです。ここが、戦後の唯物論教育を受けた国民にはわかりません。

先ほど紹介した『国体の本義』や、それに先立つ1890年、明治23年に発布された「教育勅語」には「天壌無窮《てんじょうむきゅう》ノ皇運《こううん》ヲ扶翼《ふよく》スヘシ」と書いてあります。

つまり、「永遠に続く天皇を奉ることが重要だ」というわけですね。

それを戦後的な視点から読むと、昭和、平成、そして令和の今上天皇を支えると考えられそうですが、個人的にはそうではないと思います。

その趣旨は、3000年続いている「天皇」という、ひとつの信仰を大切にすべきということなのです。ここが、いまの日本の天皇論ですっぽり抜けている最大の問題なんですね。

ですから、先に述べたように、憲法によって天皇は象徴になったと解釈することは、実は本末転倒です。天皇は、憲法の上にあるわけですから。天皇という「制度」そのものが、日本の国体、コンスティチューションです。GHQのケーディスがつくったコンスティチューション＝憲法は、日本の国体の一部を単に文章化したにすぎません。

よく憲法や法律には、成文法と不文法のふたつがあるといわれますが、日本では、そもそも「国体」は文章にならないものなのです。

ビル：なるほど。

馬渕：それで、ほんの一部が憲法という形になっているだけで、そのことが、いまの憲法学者はまったくわかっていない。それどころか、メディアも天皇陛下の意味を正しく理解していない。それどころか、天皇陛下を日々補佐している宮内庁の役人の幹部が左翼思想に侵されているから、天皇の意味を理解せずにお仕えしている。自民党の幹部を含む政治家の多くも、天皇とは何かということを全然理解していない。そういう困った状況にあるんです。

ビル：だから民主主義はだめなんです（笑）。

馬渕：本来の君民一体こそ、最高の統治思想だと私は思います。前にも少し述べましたが、かつて、平安時代に上皇が天皇より上の地位で日本を統治したことがありました。いわゆる「院政」ですね。そのころ、やはり時代が混乱したんです。

ビル：大使がおっしゃりたいのは、上皇陛下は、そうしたことをやらないでほしいということですか。

馬渕：そもそも、「公務」などというものは、法律上、どこにも書かれていません。外国をご訪問されたり、被災地に行かれるのが公務となっていますが、そうした行為は定義がされていないんです。

憲法上にあるのは、内閣総理大臣の任命や法律、条約の公布といった「国事行為」だけ。あとは、現在は私的行事になってしまっている「祈り」。これは、神道にもとづく行為、つまり宗教行為なんです。これこそ本当は公務だとすべきなのですが……。これが、本来天皇陛下に期待されていることだと思います。

第3章

分裂し続ける世界のなかで、日本が果たすべき本当の役割

ユダヤ人のディアスポラと日本人の土着力

ビル：大使はイスラエルに赴任しておられた。改めて、イスラエルの強さの源はどこにあるのでしょうか。

馬渕：イスラエルは、どのようにして国を守ってきたのか。私は、イスラエル人が書いた本で勉強して、「なるほどな」と思ったことがあります。その人は、イスラエルの安全のためには、イスラエルという国家と離散したディアスポラのユダヤ社会、このふたつが必要だと主張しているんですね。単にイスラエルという国家だけでは、アラブの敵国に囲まれていますし、これまでは戦争で勝ってきましたが、ひとたび敗れれば消滅する危険がある。そうなると、また世界に散り散りになってしまうわけです。それを防ぐためには、言い換えればユダヤ民族、ユダヤ文化というものを伝え続けるためには、現在、世界中に広がって根づいているユダヤ社会というものが、イスラエルという国と同じくらい重要だという主張なのです。散らばっていてはダメ、かといって国があるだけでもダメ。ユダヤ文化、イスラエル文化、ヘブライ文化を伝えるためには、イスラエルという国家と、ユダヤ人が言うところの「普遍的な生き方」をしている世界中に住むディアスポラのユダヤ人、このふたつの要素が必要だということなんです。

これはもちろん、ユダヤ人にとって都合のいい論ではあります。ユダヤ社会にだけ、国とディアスポラが必要で、他の国にはそれを認めないのですから。ただ、少なくともユダヤ人知識人のなかには、そういう発想をする人がいるということなんですね。

ビル：なるほど。

馬渕：ひとつのやり方として、これもありだとは思うんです。全世界がそのようにすれば、たしかにいまよりも世界は安定するかもしれませんし。しかし、日本の場合、日本列島に住んでいれば日本人であるけれど、世界に散らばってしまうと日本人ではなくなってしまうんです。これが、先ほどの言葉で言えば、日本列島の持つ「土着力」なんですね。

ビル：たしかに。アメリカに住む日系の人たちは、「オハヨウ」とか「サヨナラ」くらいしか日本語が話せない人が多いようです。まして、3世以降になると、それすら話せませんしね。

馬渕：ただし、たとえばアメリカに住んでいる日系人というのは、別にロビー団体ではないんですね。

ビル：ええ。

馬渕：まさに、アメリカに同化しようとし、実際、もう同化しているわけです。そこが、アメリカにいる中国系や韓国系の人と違うところでしょう。彼らは、形式上はアメリカ人ですが、中国政府のロビー活動も行っている人が実に多い。韓国系の人も、いまだに韓国政府のプロパガンダをアメリカで広めています。たとえば、慰安婦像を建てる活動をしているのは彼ら韓国系アメリカ人です。一方で、日系の人は日本政府を擁護するような政治活動はまずやりません。

ビル：もう、完全にアメリカ人ですね。

「○○系日本人」がいない本当の理由

馬渕：実はこうした姿勢の違いが、いま世界中で起きている移民問題を考える際、日本人の移民に対する考え方と、世界の多くの考え方との「差」として表れてくるのです。
いま、日本には、いろいろな形の移住者が280万人以上います。永住資格を持つ外国人だけで100万人以上いますから。

ビル：日本に、そんなに？

馬渕：はい。一番多いのは中国人で、70万人以上が長期滞在しています。それから、いわゆる朝鮮半島の永住者が30万人。そして、ベトナム人、フィリピン人などを加えると、在留外国人は280万人以上となるわけです。
さらに、この数はこれからますます増えていきます。ご存じのように、2019年4月に出入国管理法が改正され、5年間で34万人もの外国人労働者を受け入れると言っていますから。建前上は特定の技能を持った外国人となっていますが、実態は単純労働者がほとんどですよ。

ビル：それは、安い賃金の労働力を必要としているからでしょ、企業が。

馬渕：そうですね。ということは、日本は移民社会へと移行し、日本の住民とのあいだにさまざまな対立が生じる危険性が出てきます。

ビル：それでは、結局日本はすごく損をするということじゃないですか。

馬渕：損するでしょうね。それから日本の場合は、習慣としてそうなんですが、たとえばトッテンさんのことを、決して「アメリカ系日本人」とは言いませんよね。あくまで「日本人」です。亡くなったドナルド・キーンさんも日本人ですし。フィンランドから帰化した元参議院議員の弦念丸呈《つるねんまるてい》（ツルネン・マルテイ）さんという人がいますが、彼のことをフィンランド系日本人とは新聞も書きません。

ビル：おっしゃる通りです。

馬渕：ましてや、たくさんいる韓国系日本人や中国系日本人、なかには国会議員になっている人もいますが、やはり日本人です。つまり、日本の場合、〇〇系日本人とは言わないのです。
日本には、伝統的に帰化人がたくさんいましたが、みんな「日本人」になってしまった。だから私は、日本は人種的には「単一民族国家」だと思います。アメリカのように、何代にもわたって「○○系アメリカ人」という言い方が残る国とは違うわけです。

ビル：たしかに、そうですね。

絶対にありえない「多文化共生社会」

馬渕：いま280万人以上も長期滞在者がいて、その人たちとの共存をどうするかというのは、簡単なことではありません。ところが、保守系のメディアですら、「多文化共生」などということを言っているわけですね。
私の経験から言えば、多文化が共生するなんてことが、ひとつの国家という枠組みのなかで実現できるはずありません。本来、多文化共生というのは、違った文化を持つ国同士が、その文化的特性を発揮して主権国家としてお互いに協力するというもの。これを明確に主張しているのが、トランプ大統領なんです。

ビル：ええ、そうですね。

馬渕：まさに「アメリカファースト」「各国ファースト」なんです。ところが、「日本に来た外国人と一緒に多文化共生社会をつくりましょう」などということは、とんでもないことなのです。そんなことできるはずありません。

私もさまざまな国に行ってきましたが、ひとつの国のなかで多文化、つまり民族や人種などが違う人たち同士で問題を起こさずに生きていくのは不可能です。彼らは結局、同じ人種同士で集まってコミュニティをつくるだけですから。

それはなぜか。答えは簡単です。そもそもコミュニティ、共同体というものは、同じ文化なり、同じバックグラウンドなりがある人たちのあいだでしか成立しないからなのです。

となると、日本に来た海外の労働者たちは、結局「日本」という、日本人がつくっている共同体には入れません。そして、自国の人たちで集まってしまう。

それはもう、必然なんですね。
これは、私が見てきたどこの社会も同じ。ヨーロッパもアメリカも全部そうです。ひとつの国のなかで違う文化を持つ集団同士は、共生できない。これが、私の結論です。
それを、いかにもできるように、あるいはそういうことを主張すべきだというような風潮が強くあります。これが「ポリティカル・コレクトネス」です。私は、これを一種の「謀略」だと思っています。まあ、「謀略」が言いすぎだとしても、できないことをできる、あるいはそうすべきだという言説をまき散らし、混乱させる〝邪悪な思想〟とでも言いましょうか。
トッテンさん、イギリスはどうでしょうか。

ビル：僕はあまり詳しくありませんが、とにかくすごい階級社会の国です。

馬渕：そうですね。

ビル：それと、「貧乏」と「犯罪者」は同じ意味の言葉となります。本当ですよ。

馬渕：ハハハ。それは言い得て妙ですね。

ビル：18世紀に、イギリス人によるオーストラリアへの入植が始まりました。当時、貧乏な犯罪者がものすごく多く、イギリス国内の刑務所に入りきりません。そこで、そうした人たちをオーストラリアへ、流刑にしたんですね。で、彼らは皆「コックニー」というなまりのあるイギリス英語を話していたんです。ですから、オーストラリアの英語と米国の英語は全然違うんですね。

米国で働いている僕の先輩が、オーストラリアに行った際、入国審査で「お前は犯罪歴があるか？」と聞かれたそうです。そこで先輩は、「いまでも犯罪者でないと入国できないんですか？」と答えたとか。もちろん、これはジョークですが（笑）。

イギリスは、アメリカ人から見ると、偉そうで差別意識が強いと思います。アメリカでも、東部ではそうした感じの人もいますが、僕が生まれ育った西部のカリフォルニアは違いましたね。

僕が中学生のころ同級生の6割くらいは黒人でした。もちろん、黒人の友だちもいましたし、肌の色がどうこうではなく、たとえばスポーツならどっちが上手かとか、そういうことで競っていました。人種は、まったく関係ありません。そういうのは、米国のいいところであると思いますが……。

奴隷がいない日本社会の特性

ビル：ただ、日本に来て以来、日本のほうがもっと平和的だなと感じています。階級差別などほとんど聞いたことありませんし。僕はいま、京都に住んでいて毎日10キロくらい散歩しています。最近はちょっとさぼっているから、お腹が出てきてしまいましたが（笑）。

定番コースである鴨川沿いを歩いていると、橋の下にホームレスが住んでいます。で、毎日通るたびに「おはようございます」といった感じであいさつしているうちに、いつの間にか、みんな友だちになったんです。

日本では、社長も一般庶民もホームレスも関係ない。人間は人間なんだという社会なんですね。みんな腰も低いし、お互いさまだという気持ちが強い。

実は、このホームレスの集団には大番頭というか親分がいて、彼がちゃんとみんなを管理しているんです。ときには誰かを叱ったりとか。公共の場所に住んでいるのだから、周囲の人に迷惑をかけないようにしてるんですね。だから、自分の縄張りをいつもきれいにしている。もちろん、礼儀正しいですし。なんかいい社会だなと思います。誰にも迷惑をかけないし、奴隷のような人もいない。だから、付き合っていても、けっこう楽しいんですね。

馬渕：いまトッテンさんのおっしゃったことでひとつ象徴的なのは、日本には奴隷がいないということ。ここが他の国とものすごく違うところです。イギリスにもアメリカにも、それから中国にも奴隷がいたんですね。ところが日本には奴隷がいない。これは、ものすごく大きな違いです。

人間が平等だという思想は、なにもフランス革命で「人権宣言」が出されてから始まったものではありません。日本には、神代の昔から人間平等思想があったのです。

本来なら、キリスト教の世界こそ聖書にあるように神の下に平等のはずなのですが、どういうわけか、どこの国にも奴隷制がありました。アメリカもイギリスも、発展できたのは奴隷制のおかげですし。だから、いまでもアメリカの企業が不法移民を雇うのは奴隷制の名残なんです、言ってみれば。

ビル：ただイギリスは、米国ほどは奴隷をこき使ってなかったと思いますね。むしろイギリスは、アフリカの人たちを拉致して、アメリカで無理やり奴隷に仕立て上げたんです。

馬渕：そうですね。奴隷貿易をやっていたんです。

ビル：イギリスはアフリカから黒人を誘拐してきては、彼らを米国に連れていき、南部の農家に売っていました。ところが、南部の農家は、そのうち奴隷をいちいち買うより、奴隷の男女をくっつけて、子どもをつくらせるほうが安くすむことに気づきます。それで、ものすごく健康な男性と女性の奴隷をくっつけるようになったのです。

かつて、アーサー・アッシュという黒人テニス選手の先駆けがいました。彼の仲間が、実は僕のコーチだったんです。僕は一時、テニスに夢中で、年に1、

2週間くらい、そのコーチのところに通っていたんですね。彼も黒人でした。僕は若いころ、「どうして黒人はスポーツがうまいのか?」と思っていました。高く跳んで、速く走るし……。

ところが、当時のアフリカの選手を見てみると、決してすごいわけではない。マラソンなど一部を除いて、オリンピックでメダルをバンバン取るわけでもありませんし。その一方で、アメリカの黒人はものすごい成績を残している……。

そのわけがわかりました。先述のように、アフリカから連れてこられた奴隷のなかで、最も丈夫な男性と女性をくっつけて、子どもをつくらせる。こうしたことを200年以上やってきた。だから、アメリカの黒人スポーツ選手は足が速くて、パワーがあって、跳躍力もあるんです。皮肉なことに、これも奴隷制のおかげなんですね。

実はアメリカの黒人スポーツ選手が強くなったこととともに、もうひとつさらに重要なポイントがあるんです。南部が奴隷を購入しなくなったため、北部の州が行っていた奴隷商売が立ち行かなくなります。そうなると、急に北部は奴隷制度反対を訴えるようになったのです。儲かっているときは奴隷制に賛成で、儲からなくなった途端、奴隷制反対に転向した。この転換が、南北戦争の原因のひとつとなったのです。もうひとつの理由は、リンカーン大統領が「自分は奴隷制には一切反対していないし、無関係だ」と言ったこと。

馬渕：たしかに、リンカーンも奴隷を使っていましたよね。

ビル：ええ。何も反対していません。ですが、北部の州は、自分たちの産業発展のために、南部から税金をたくさん取っていました。それで鉄道を敷くなど、北部の産業革命を進めます。これに対し、南部は「オレたちから税金を奪って、北部のためだけに使いやがって」と不満を爆発させたのです。つまり、南北戦争の主要因は奴隷の解放ではなく、税の配分の不公平さにあったのです。そこで、南部は合衆国から離脱しようとします。ところがリンカーンにしてみれば税金の徴収先がなくなってしまう。政府はお金がなかったので南部に逃げられたら困る。そうして、南北戦争を起こしたのです。

もちろん、僕たち一般の米国人が小、中、高、そして大学で学んだのは、南北戦争は奴隷解放のために行われたということだけ。つまり、全部ウソだったのです。

グローバリズムをストップさせた伊勢神宮の神々

馬渕：なるほど。ところで、トッテンさんの祖先はどこ出身なんですか？

ビル：僕は雑種ですね。スイス、ドイツ、イギリス、アイルランドなどバラバラなんです。

馬渕：まさにヨーロッパですね。今後、ヨーロッパはどうなって生き延びていくのでしょうか。

ビル：うーん、生き残る……。というより、だんだん縮まっていくでしょうね。これまでは〝家族〟だから強かった。17〜19世紀にかけてイギリスが海軍力で世界を支配しました。まあ、基本的には海賊行為で世界を制し、海洋国家を樹立した、というのが真実ですが……。そして20世紀に覇権は米国に移りましたが、やがて双方落ち込み、いまはユーラシア大陸が伸びていると思います。大使はどうお考えですか。

馬渕：まずイギリスは、アジア太平洋に回帰するんじゃないですか。もうＥＵから離脱してしまいましたからね。

ビル：米国の51番目の州になりたいのではないでしょうか。

馬渕：むしろ、イギリスはＥＵから離れて、再び海洋国家として活路を見出していくことになるのではないでしょうか。極論すればＴＰＰに入るかもしれません。私は、ＴＰＰをいいとは思いませんが、イギリスは少なくとも、アジア太平洋、インド洋も含めたインド太平洋を見ていかざるをえません。それから、我々はいま、ヨーロッパからのイギリスの離脱のことばかり言っていますが、フランスがもう自滅するかもしれません。

ビル：そうですね。

馬渕：これでフランスが潰れたら、ＥＵはいよいよバラバラになります。ドイツも、これ以上ＥＵを支えることはできません。そういう意味では、すでにＥＵ各国が勝手な動きをしています。

結局、ＥＵという一大社会実験は、失敗に終わったということになるのでしょう。世界全体の傾向を改めて振り返ってみると、イギリスがＥＵからの離脱を決定したのは２０１６年６月の国民投票でのこと。さらに、この年の11月にトランプ大統領が当選するわけです。このふたつの出来事が、いわゆるグローバリズムの波をせき止めた象徴的な動きだったといわれていますが、まったくその通りなんです。

ただし、実はその前にもうひとつ、グローバリズムをストップさせる出来事がありました。それが、同じく２０１６年の5月に開かれたＧ７の伊勢志摩サミットなんですね。

ビル：なぜ、伊勢志摩サミットがグローバリズムのストップにつながっていくのでしょうか。

馬渕：そう思いますよね。なぜ安倍首相が、各国の首脳を伊勢神宮に参拝させたのか。

その理由を実は、世界はあとから知ることになります。それ以降、グローバリズムの波が収まってきたんです。

こういうことは、活字にしても伝わりづらい性質の話なのですが、伊勢の神々の意図、願いが通じた部分もある気がするんですね。それはなにも、世界の人に日本的な生き方をしろというのではなく、もう少し人間が、あくなき利益追求ではない生き方をしろと、伊勢の神々が伝えたのではないでしょうか。

そういったことを、安倍首相と一緒に伊勢内宮《ないくう》を参拝したＧ７の首脳たちが、何かしら感じているはずなのです。なぜそんなことが言えるかと申しますと、あの参拝のあと、みんな記帳したんですね。そこに、彼らの印象が書かれているのですが、それを見るとみんなほとんど同じことを言っています。平和、安定、静謐《せいひつ》、静けさ、そして調和……。その他にもたくさんありましたが、各国の首脳はそういったことを感じ取っていたのです。

唯物的な発想で言えば、そんなことがすぐに各国の政策として現れるわけありませんが、少なくともＧ７の首脳がそういう思いを持ったということは、やはりじわりじわりと、日本も含めた今後のG7諸国の政策に現れてくるのではないかと。

そういう意味で、世界のグローバル化の波に、近年、くさびを打ち込んだ最初の象徴的出来事が伊勢志摩サミットであったと思うのです。

ビル：なるほど。

馬渕：その意味では、安倍首相は歴史に名を残されたかもしれない。もちろん、そういった評価が下されるのは100年先かもしれませんが、そんな気がしてならないのです。

米国組にい続けるのか、ユーラシアを目指すのか？

ビル：一方でいま、世界は分裂のさなかにあるのではないでしょうか。ひとつの大きなまとまりはアフリカとユーラシア、つまりアフロユーラシアです。もう一方は、米国、オーストラリア、ニュージーランド、イギリス。これらはみんな英語の国ですね。米国は南米も手中に収めたかったのでしょうが、ずっと南米を搾取し続けているので、当然関係は円満じゃありません。

そこで最近、ロシアや中国が南米に投資しているわけです。米国はベネズエラを脅迫していますが、一方で、ロシアのプーチンは、「ベネズエラに手をつけてはダメだ！」というレッドラインを引きました。そして、ベネズエラをめぐる米国、ロシア、中国のしのぎ合いはまだまだ続いています。

それにしても、日本は外国語教育でなぜ英語しか教えないのでしょうか。とくに、ユーラシア、アフロユーラシアは世界のほとんどの資源を有し、多くの人口、巨大な国土があり、しかもＧＤＰは米国の2倍にまで増えています。こうした国々の言葉も重要でしょうに。日本は米国組にい続けるか、あるいはユーラシアに入るのか。これが、日本の一番大きな課題だと思います。

げんに安倍首相が、総理大臣になってから一番多く会っている海外の重鎮はプーチンさんでしょう。安倍さんが総理になる前は、中国の首脳と日本の首相は会っていませんでした。ところが、安倍さんは習近平に何回も会っているし、

2018年の秋には中国も訪問しています。これは、大きな分岐点です。

もちろん、問題は北方領土。ロシアは返したいけれども、絶対に米軍を駐留させないのが条件です。極東最大の海軍基地であるウラジオストックのすぐ隣に、オスプレイなどが来ては困りますから。だから、そうならないという保証が欲しいわけです。米軍を日本から追い出せれば一番いいですが、それは無理なわけですし。

北方領土を返還すると同時に平和条約を結びたい。そのための保証が欲しいわけです。米国は許さないでしょうけど……。

そもそも、現行の日米安保体制では、米国は日本のどこにでも好き勝手に基地を置くことができます。つまり問題は、日本は独立した国家なのか、それとも米国の植民地なのかということなのです。

安倍首相はなんとか交渉していますが、最終的な権利がありません。米国が協議に出てこないと。実は、エリツィン政権のときに、シベリアからサハリンまでのトンネルを半分くらいまでつくりました。しかし、エリツィン大統領はお金を借りすぎて、途中でやめてしまったのです。

ロシアは、橋かトンネルで、シベリアからサハリン、サハリンから北海道をつなぎたいと考えています。そこに高速鉄道を走らせるとすると、総延長距離はいまの日本の新幹線の８倍です。この鉄道網が完成したら、日本は輸出物をサハリン経由でヨーロッパまで一気に運ぶことができるようになります。ロシアの資源もあっという間に輸入できる。だからロシアや中国と仲良くするほうが、米国と仲良くするよりも圧倒的にプラスなんです。

会っている人を見れば、安倍さんはすごく困りながらも努力していることがわかります。もっとも、米国は日本が真の独立国にならず、自分たちの植民地として残るよう、ものすごい圧力をかけている。これが僕の国際関係の現状の解釈なんです。いかがでしょうか。

アメリカの意向を忖度した外務省の横やり

馬渕：いま、おっしゃったなかで、日本はアメリカよりもユーラシアとの関係強化を選んだほうが良いかというと、そう単純ではありません。ただ、ロシアについては関係強化のメリットは大きいでしょう。いずれにせよ、アメリカを選ぶか、ユーラシアを取るか、といった二者択一ではないということです。

そこでまず、ロシアについて考えれば、ロシアは日本の経済協力が必要なんですね。で、私はずっと北方領土問題の本質とは安全保障問題だと考えています。つまり北方領土問題のポイントは一見、返還された北方領土に米軍基地を置かないということのように思えますが、ロシアにとってはそれもさることながら、実は一番重要なのは日本と平和条約を結ぶことによって、ロシア国家自体の安全保障も強化されるのかどうかということなんです。

これに関して安倍首相は、もう答えを向こうに投げかけています。つまり、8

項目の経済協力（医療、都市環境、中小企業、エネルギー、生産性向上、極東開発、先端技術、人的交流）をやりますと。ただし、それを全面的にやるためには、やはり、北方領土問題を解決して平和条約を結ばなければなりません。なぜなら、日本国民の支持が得られないからです。だからそういう意味では、安倍さんとプーチンの両者は、実はほとんど手が握れているんですよ。

ビル：邪魔をしているのは米国ですね。

馬渕：オバマ時代まではね。でも私は、トランプさんはそんなに真剣に邪魔していないと思います。邪魔をする人がいるとするならば、アメリカの民主党の背後にいるディープ・ステートですよ。

ビル：ディープ・ステートは、たしかにトランプ大統領の足を一生懸命引っ張ろうとしていますから。

馬渕：トランプ大統領は、むしろ日本から軍隊を引き上げたいと思っているように感じられますね。

ビル：ええ、それはたしかに。

馬渕：だから、その意味で安倍さんはラッキーだなと思います。日露関係を見ると、トッテンさんがいまおっしゃったような状態にありますが、日露関係は、オバマ時代はうまくいっていませんでした。そこには、もちろんオバマ政権からの圧力もありましたが、むしろアメリカの意向を忖度した日本の外務省が、安倍総理の足を引っ張っていたんです。

だから、うまくいかなかったんですよ。ところが、トランプ政権になったら変わりました。つまり、いまがチャンスなんです。

ビル：そうですね。

インドを含めた大海洋国家連合の現実性

馬渕：それから、日米安保がハードルだという意見。あれは、プーチンがちょっとハードルを上げているだけで、歯舞・色丹などには、アメリカ軍なんて来いって言われても行かないですよ。だから、「あの地域は非武装にします」と、文書化するなりなんなりすればいいだけなんです。

それとともに、アメリカは日本の土地に自由に基地が置けるという点について、実はそんなことはなくて、日本が同意しないと勝手に基地は置けません。しかも、「日米同盟そのものの意義を見直す時期に来ている」と、トランプ大統領は明言しているんです。これをうまく活用すべきだと思いますね。

さらに言えば、カナダも含めた北米と、イギリス、オーストラリア、ニュージーランド、そこに日本も入ってG6をつくることが、日本の今後の生きる道になるのではないでしょうか。つまり、海洋国家の同盟です。そこにさらに、半分は海洋国家のインドが入れば大海洋国家連合ができます。

ビル：いや、インドは入らないでしょう。インドはユーラシアですよ。ロシアとの取引も多いですし。

馬渕：そうですけどね。少なくともいまのモディ政権は、ロシアとの距離を置いているわけですから。その理由は、東西冷戦時代とは違い、ロシアとくっついて得られる経済的なメリットは、資源輸入以外にないからです。だから、ロシアがインドに投資しても、大きく結びつくことはないと思いますよ。

ポイントは、モディさんもやはり日本を重視しているということ。同じ投資を受けるのであれば、日本から受けたい。日本は投資をするだけで、その国を支配しようとはしないですから。

それから、ユーラシアと近づくのが自然であるというようなご意見でしたけど、そこには条件があって、まず日本は現在の共産党一党独裁体制の中国とは、いくら近づいても無駄ですね。たとえ共産主義体制でなくても、明治維新以降の日中の関係を見てみれば、両国がうまくいくはずがない。なぜなら、日中の文化がまったく違うからです。

最も良いと私が思う中国と日本の関係は、「敬遠」ですね。一定の敬意は払うけども、同時に一定の距離を置く。これが一番うまくいくでしょう。そういう姿勢を日本がとれば、中国のほうから自然と近づいてくるんですよ。

日本が中国と一緒になって、あるいはロシアも入れて、「ユーラシア同盟で頑張りましょう」と言ったところで、実は日本がむしり取られるだけです。しかし、現状のように日本が泰然とかまえていると、ロシアは近づいてきます。そうなると、中国も近づいてくる。その結果、日本に有利な条件で日中関係を設定できるんですね。

中国はすぐ隣にあり、しかも巨大なマーケットだから、今後アメリカより重要な国になるというような意見を経団連あたりも言っています。ところが、それはまったくの間違い。たとえば、中国企業と合弁をやってうまくいった試しなどありません。なぜなら、会社経営に対する考えが全然違うからです。

要するに、日本経済新聞とか経団連の連中は、中国の真実を見ていないわけですよ。中国と組んだら大変なことになる。日本は沈没する以外にない。これが私の考えなんです。

似ているようで非なるロシアと中国

ビル：ロシアとは、どうなんですか。

馬渕：ロシアに関しては、まず中国人とロシア人はまったく違う人種であり、むしろ日本人の国民性はロシア人の国民性と親和性が高いということが挙げられます。このことは、私もいろいろなところで書いていますが、実際、ロシア人は極めて精神性の高い民族なんです。ところが中国人には、そうした精神性はまったくない。なぜなら、彼らは極めて即物的ですから。

ロシア人は精神性が高いから、同じ企業活動ひとつとっても、我々が先ほどから議論しているある種の倫理観があります。ロシア人の企業家のなかには、日本的な家族的経営と似たようなスタイルでやっている人もいます。だから、日本企業とロシア企業との合弁のほうが、日中合弁よりよほどうまくいくんです。

ところが、エリツィン以降、ロシア経済は現在に至るまで非常に混乱してきました。プーチン政権になっても経済が安定しなかったため、日本にとっては中国との合弁のほうが先に進みましたが、いま、それらがことごとく行き詰まっています。中国人の労働コストが上がったので、中国に工場を置くメリットがなくなったのです。

これは日本企業に限ったことではありません。欧米の企業も軒並み苦しんでいます。しかも中国は、技術をどんどん盗んでいますから。

結局、中国は共産党の独裁国家ですから、そうした違法行為をなんでもやれてしまいます。私は別に中国と付き合うなとは言いません。言いませんが、中国はあくまで共産党の独裁国家であり、中国人の発想と日本人の発想は180度違うということは、忘れてはならないでしょう。

中国人は、とりわけ国家観や道徳観がないとは言わないまでも、たとえあったとしても、日本人のそれとはまったく違う。だから、日本と中国が組んでもうまくいくはずありません。経団連が、もし本当に中国と組んで、これからの日本経済を打開していこうとするなら、私は日本が先に自滅すると思います。なぜなら、少なくとも経済的には、中国はすでに沈没しつつある国ですから。そこにお金をつぎ込むというのは愚の骨頂ですね。

ビル：中国経済はダメだとお考えですか。

馬渕：バブルが、事実上はじけています。中国の多くの企業がいま、デフォルトしつつあります。つまり、中国経済全体がクラッシュ寸前の状況なのです。これを防ぐためには、共産党の一党支配体制を脱しないといけない。だから、トランプの実際の狙いは、中国共産党の一党支配体制の打破なんです。アメリカにとっても、中国という巨大なマーケットは魅力的です。これを捨てる気はありません。しかしそのマーケットを、中国共産党がコントロールするのはやめさせたい。そこでいま、せめぎ合っているわけです。

しかも共産党一党独裁が終わること自体、アメリカだけでなく日本にとってもヨーロッパにとっても良いこと、つまり世界にとって良いことなんです。その理由は至極単純で、共産主義というのは、やはり世界の現実に合っていないんですね。共産主義、共産党独裁政権の国には、ろくな国家がないわけです。ソ連がまさにそうでした。だから私は、中国は嫌いじゃないけど、中国共産党は大嫌いなんです。

国際通貨になれない中国人民元の限界

ビル：いま大使がおっしゃったことでひとつ疑問があります。

習近平のお父さんの習仲勲《しゅうちゅうくん》は、リベラル派で人望も厚い人でした。ところが、文化大革命でパージされてしまう。習近平は、それを見ています。ですから習近平は、共産党独裁を維持していますが、基本的に中国を強くしたい、中国人の生活を良くしたいというところを重視しているのではないでしょうか。ただ、共産党一党独裁がいいと表面的には言わなければならない。でも、本音は違うのではないかと。

実際、十数年前の中国のGDPは米国の9分の1でした。それが、いまは7割程度です。たった十数年ですよ。日本の高度成長よりも早い伸び率になっています。米国の市場がリーマン・ショックなどでダメになる一方、中国もここ1、2年は伸び率が鈍化していますが、それでもまだ米国の伸び率の2倍を記録しているわけです。
ロシア、中国は資源も豊富です。だから、損得勘定でいうとユーラシアのほうが米国よりもはるかに魅力的ですから、ビジネスでは勝つのではないでしょうか。思想的にどうこうというのではなく……。
もうひとつ重要なのは、国の負債の中身です。米国は、多額の負債を抱えていますが、それは民間企業、あるいは外国からの借金。ところが日本は、日銀が国に貸して、国が利益を日銀に戻しています。中国も同じ。つまり、負債は国内、政府内にあるので公的負債は無意味です。
米国は中国や日本からお金を借りているうえ、今後どこから借りるのかという点で、すごく困っています。その意味で、財務的に日本と中国は、米国よりも圧倒的に強いのではないでしょうか。

馬渕：ただ、それに関してひとつ問題なのは、人民元は国際通貨ではないということ。

ビル：そうですね。

馬渕：だからいくら刷っても、中国は世界で人民元を使えません。これまで中国が人民元を刷っていたのは、ドルの裏づけがあってのこと。裏づけがある分だけ刷っていたから、人民元は崩壊しなかったんですね。

ところが、いま中国の外貨準備がどんどん減っています。アメリカが高関税を課したこともあって、アメリカへの輸出が減っています。だから、中国はドルの裏づけがある人民元を発行する力が落ちているわけです。そうなると、そうした状態で人民元をいくら発行したところで、それは単なる紙切れでしかありません。そこが、中国の抱える最大の問題なんです。人民元はローカルカレンシーだから、世界が相手をしてくれません。

だから中国は、途上国相手に実にあくどいビジネスをやっています。人民元で貸しつけて、ドルで返させているんです。こんな詐欺商法はないでしょう。ただし、それが一帯一路の実態なんです。ですから中国は、見かけ上は、ものすごい大きなGDPを誇っていますが、実態は青息吐息。つまり、もう外貨がなくなってきているんです。ここが重要ですね。

一方、日本の場合は円は国際通貨だから、世界の国は円を欲しがります。けれ

います。

トランプは懸命に交渉しようと動いています。一方の中国は、経済的にも余裕があり困っていないので、トランプの挑発に乗る必要がない。ですから、現状では実は中国の立場のほうが強いと思います。

馬渕：私は、その点はまったく逆だと思うんですけどね。

ビル：だからこの本も面白くなる（笑）。

馬渕：たしかに（笑）。中国は、いまトランプと交渉したら、相手の条件を飲まされる。それを怖がっています。

ビル：なるほど。

馬渕：トランプは、もう明らかに中国共産党を潰すという方向に舵を切っています。たとえ、中国が「アメリカ製品を輸入します」なんて言ったところで空証文ですから。そんなこと言ったくらいでは、〝ディール〟は成立しない。つまり、技術泥棒をやめる、しかもそれをきちんと証拠で示さないといけないでしょう。さらに、知的財産権保護を具体的にどうするかも明示しなければなりません。また、共産党や人民解放軍の幹部が経営している国営企業に対する補助金もカットしなければならない。

こういうことは、結局共産党の一党支配をやめるということと同じことなんです。だから、習近平は乗れないんですよ。それに乗ってアメリカの要求を飲んだら、習近平体制というか、共産党一党独裁体制そのものが崩壊しますから。

ビル：ただですね、大統領選を考えると農家の票の影響が非常に大きい。中国が農産物を買うか買わないか。それ次第で、トランプの立場はすごく悪くなります。

馬渕：もし中国がアメリカの農産物を買わなければ、たとえば豚肉の値段が上がるといった悪影響が必ず出ます。中国は食糧が自給できません。だから、結局、習近平としてもアメリカの農産物を買わないわけにはいかないと思います。

ビル：たしかに、本当は買いたいと思っているでしょうね。

馬渕：それと中国は、少なくともあと4年半は、トランプと付き合わなければなりません。

ビル：4年半？

馬渕：再選するでしょうから。

ビル：ああ、そういうことですね。

馬渕：あと4年半、いまのような宙ぶらりんの状況にしておけば、中国経済はもたないと思いますよ。いままでもってきたほうが、不思議なくらいですが……。なぜ、いままで経済が維持できてきたのか。それは、我々がイメージするような、日本のようなオープンな経済システムではないからです。

共産党のさじ加減ひとつで、いくらでも数字は変えられますし、それこそ、不動産バブルなどもごまかそうと思えば、簡単にできる。だから日本のバブルはいともたやすく崩壊しましたが、中国のバブルは崩壊していても「崩壊していない」と強弁できるわけですね。

ビル：バブル崩壊といいますが、日本の場合、右のポケットからお金を借りて、左のポケットに移しただけ。だから、負債もバブルも国内の負債だけの話ですから。中国も一緒ではないでしょうか。

馬渕：そういう面もありますけど。たとえば、もういまは下火になったようですが、一時期、中国はどんどんコンドミニアムを建てていたでしょ。それが、誰も住まないゴーストタウンのようになってしまい……。

ビル：ええ。

馬渕：その建設のための費用は、外貨の裏づけのない人民元だけでは賄いきれないんですね。資材を輸入しなければならないわけですから。そうすると、輸入品の代金を、外貨で支払わなきゃならない。

ビル：何を輸入してるんですか。セメントは中国産ですよね。

馬渕：セメントはいりませんが、その他の資材のなかには輸入品も多数含まれています。その分は、外貨で支払わなきゃいけません。

ビル：それはそうですね。

馬渕：だからいまトッテンさんがおっしゃったように、右から左へ人民元を回すだけでは済まないわけです。だから、なぜ中国バブルが崩壊したら困るかといえば、中国がお金を返せなくなるからです。

ビル：ただ、いまだに中国は貿易黒字が圧倒的に多いでしょ。

馬渕：それはそうですが、繰り返しますと、その黒字額に相当する人民元を発行しているわけです。そうでないと、これはトッテンさんのほうがよくご存じですが、世界は誰も人民元を信用しません。

ビル：それはわかりますが、米中貿易戦争で中国の貿易黒字が減ると思いますか。

馬渕：減るでしょうね、これから競争力がなくなっていきますよ。それから、もしアメリカが、ZTEやファーウェイにやったように部品供給をやめたら、中国の最先端ハイテク産業も潰れていくでしょう。

日本もこれと同じようなことができます。半導体の原材料を中国に輸出していますから、これを閉めたら中国は困ります。対韓国と同様ですね。

中国経済は言われているほど強くはありません。むしろ、中国共産党が強引に維持している経済だといえるでしょう。

そもそも中国は、アメリカや日本が投資したから、現代のような巨大な国家となったのであって、アメリカや日本がもう投資しないといったら、中国はこれまでの遺産で食っていくしかありません。

日本の対中最大の武器となる最先端技術

ビル：ただ、米軍は中国から輸入しているテクノロジーがないと動けないでしょう。

馬渕：いや、それはマストというわけではないかと。日本から輸出しているハイテク製品がなければ、中国軍もアメリカ軍も先端兵器の開発が困難になりますが、中国からの輸入品は大したものじゃありませんよね。

ビル：いや、けっこうありますよ。

馬渕：先端技術なんて、そもそも中国から輸入していないでしょう。

ビル：いや、けっこう輸入しています。

馬渕：たとえ輸入していたとしても、代替が効くものばかりです。中国製でないとダメだというのは、まずないですよ。ところが光学器械などに代表されるように、日本製ではないと代わりがないものがあるわけです。

ビル：もちろん、日本にも頼っています。ただ、ここに関しての戦略がないんですよ。

四半期ごとの利益しか考えていないから、とにかく安いものを入手しようとする。みんなそうやっていますから。どれぐらいアメリカ軍が中国に頼っているか、調べてみました。

米商務省統計によれば2019年1～7月に米国が中国から輸入した先端技術製品（コンピュータ、ソフトウェア、バイオテック、電子機器など）の総額は752億ドル、一方、米国から中国への輸出は199億ドルと、中国からの輸入が圧倒的に多くなっています。

そのうち米軍の購入額はわかりませんが、フォーブス誌（Aug 2, 2019）によれば、国防総省が中国の監視技術の使用を禁じているにもかかわらず、米軍が使用するCOTS（commercial off-the-shelf＝商用オフザシェルフ）IT製品のなかに中国製のLenovo（レノボ、PC）やLexmark（レックスマーク、プリンタ）、Hikvision（ハイクビジョン）やDahua（大華技術）といった監視カメラが大量に含まれており、監査官は「サイバーセキュリティリスク」を問題視しているとのことです。

ハイクビジョンは世界一のシェアを誇る安価な監視カメラですから、リスクを知りながら価格で採用しているとしか思えません。
また、ロシアと中国はたとえば、いま22時間かかっているロンドン―シドニー間を4時間で飛ぶハイパーソニック兵器を２０２０年には開発する予定です。米国はそうしたものを何もつくれませんが。

馬渕：アメリカが次世代の旅客機をどうするかは知りませんが、中国の国産機は自国内でしか飛ばしていません。というか、外国の型式承認を得ていませんから自国でしか運航できないんですよ。

ビル：ええ。

馬渕：で、結局、ボーイングとエアバスを使っているんです。それはロシアも一緒です。だから、たとえ計画があったとしても、ロンドンとシドニーを4時間で結ぶ飛行機なんて、残念ながらあの両国には全然つくれません。もちろん、アメリカも。もしできるとすれば、日本です。でも日本は、いま三菱が飛行機をつくっていますけど、アメリカが邪魔していますからね。

ビル：でしょ？

馬渕：これがつまり、マッカーサーの後遺症なんですよ（笑）。

「中国を太らせろ政策」の終焉

ビル：けれど大使は、中国が技術を盗んでいるとおっしゃるでしょ。じゃあ、ボーイングやエアバスの飛行機を中国で生産したら、なおさら盗みますよね。

馬渕：そういうことを、オバマ政権まではわざとやってきたんです。なぜ、そうだと言えるのか。それは、かつてアメリカは、ソ連に対しても同じことをやってきたからなんです。アメリカは、本来なら東西冷戦で対決しているソ連に、原爆の技術や、さまざまな最新兵器の技術を提供して、あの国を育てていたんです。ソ連のスパイに盗まれたとか、中国がアメリカをダマして盗んだといったことになっていますが、アメリカはよくいって黙認、悪くいえば堂々と差し上げていた。これが、戦後の東西冷戦の欺瞞《ぎまん》、あるいは歴史の真実なんです。

ビル：そうですね。盗まれていたというより差し上げました。

馬渕：中国をある程度太らせるために差し上げたんです。でももう、十分太りました。だから、これ以上太るのはまかりならんというのが、いまのトランプ政権なんです。しかも、彼らだけではなくて民主党も同意しています。

ビル：話はちょっとズレますが、うちの会社のコールセンターは約200人体制で、年中無休24時間対応しています。3回呼び出し音が鳴る前に、日本人オペレーターが電話に出て対応しています。一方で、マイクロソフトなどは、コールセンターに連絡しても、ほとんどつながらない。たとえつながっても、インド人などの外国人が電話対応します。

馬渕：そうですね。

ビル：うちの会社の売上は、ほとんど日本人に対する売上です。だから、人件費が安いからといって、日本人の代わりにインド人などの給料が安くすむ人に任せるのは良心的ではありません。

京都の我が家のすぐ近くに、下着メーカーのワコールがあります。ワコールは、自社製品の大半を販売相手国でつくっています。マレーシアの売り上げはマレーシアに、というう感じです。こういうのはとても良心的なことだし、長期的な視点に優れた経営だと思います。

一方で、四半期ごとしか考えていない米国の会社は、コストだけを考え、コンピュータ部分の生産を中国に委託しています。

そしていま、通信が5Gになろうかという時代、中国が圧倒的に強い。それは、米国のアップルなどの企業が中国に工場を建て、そこで育てた結果なのです。トランプは、ヨーロッパの同盟国に中国の5G技術の使用を取りやめるよう言いました。ところが、どの国も賛同しません。トランプがいくら言っても、ヨーロッパのほとんどの国は中国の5G技術を導入しています。

馬渕：いや、そうでもないですよ。それは一部の報道にすぎません。むしろ、ヨーロッパ諸国はアメリカの要求に対し、迷っているというか逡巡《しゅんじゅん》している。受けるかどうか迷っているのは事実かもしれませんが、少なくとも中国が5Gで支配的になることに警戒しているのは、ヨーロッパも同じなのです。

第4章

貧富の格差を乗り越える日本人らしい生き方

貧富の格差を広げた米国式民主主義政治

ビル：米国の民主主義政治の結果、貧富の差がものすごく大きくなりました。そして、国自体もものすごく貧しくなってしまいました。中国が何十万キロものアスファルト製道路をつくっているあいだに、米国はアスファルトから砂利道に戻ってしまっています。維持管理のお金がないからですね。

だから若干乱暴な言い方をすれば、米国と比べると中国は自国民をかなり大事にしているともいえます。米国の政府とお金持ちは、その他の米国人を搾取していると。

そうした観点から言えば、中国のほうが米国よりも国民を大事にしている、つまり、はるかに民主的だともいえるのではないでしょうか。

馬渕：そういう視点からの論は初めて聞きましたが、ただし私の理解では、中国5000年の歴史を振り返ってみればわかるように、中国の支配層が民衆を大切にしたことはただの一度もありません。

たとえば、蔣介石が何をやったかというと、日本と戦争をしながら中国人民を搾取して、彼らから銀を取り上げて、国際マーケットでそれを高い価格で売り抜けて大儲けしていたんです。そういう人たちですから、中国人というのは。だから、現在の共産党政権が中国国民のことを考えているというのは、にわかには信じがたいというのが正直なところですね。

ビル：イタリアが一帯一路に署名したという、あの件はどういうふうにとらえればいいんですか？

馬渕：まあ、イタリアも署名しただけですからね。そもそも、中国人とイタリア人は気が合うんですよ。国民性が似ているんです。かつて、日本の社会学者である中根千枝《なかねちえ》氏も、そういう趣旨のことを書いていましたし……。

それにしても、うまくいくとはとても思えないですね。中国が共産党一党独裁体制である限り。

しかしいま、中国が一帯一路で何をやるかというと、セメントを外国に売るという話ですよね。

たとえば、イタリアならイタリアに必要なインフラをつくるなんていう発想じゃないわけです。中国の滞貨《たいか》、つまり売れ残り品を一掃するという発想ですから。スリランカなんかそうですよ。お金を返せなくなったら、港を租借するって話ですからね。

だから、そういう意味で中国は、これまでの自由主義経済体制のもとで培われてきた国際秩序とは違う秩序を追求しています。にもかかわらず、イタリアをはじめとするヨーロッパも含めて、それこそ短期的な中国による投資を呼び込んで、なんとかカンフル剤にしようという発想なのかもしれませんが、これは危険です。

はやりの言葉でいえば持続可能な発展、つまり「サスティナブル・デベロップメント」という観点からすれば、非常にいかがなものかという思いを禁じえません。

ビル：僕はイタリアよりも、ドイツのほうが先に一帯一路構想に参加するかと思っていましたが。

馬渕：でもドイツは、もう撤退せざるをえないんじゃないでしょうか。ドイツ銀行の最大の株主は中国です。その中国が左前《ひだりまえ》になったら、ドイツ銀行も潰れますからね。すでに、ほとんど潰れかかっていますし。

私は、中国とドイツの関係が、これから抜き差しならぬ状態になるというか、破綻していくだろうと思います。そういうところから、ヨーロッパの中国に対する見方、対応の仕方が変わっていくんだろうなと。

ビル：ただ、ドイツとロシアを結ぶ天然ガスのパイプライン「ノルドストリーム」がありますね。ドイツはどうしてもロシアの天然ガスが欲しいですし、ドイツにとって二番目に大きな輸出先はロシアです。

馬渕：たしかに、ドイツとロシアの関係は強いですね。

なぜ直接ロシアから欲しいかというと、ドイツはいままでは、ウクライナのパイプラインを通じてロシアの天然ガスを輸入してきたんです。ですが、それだと先だってのクリミア紛争のときのように、ウクライナが止めたり抜いたりしますからね。だから、直接受け入れたい。これを推進したのが、社会民主党のシュレーダー政権なんですね。

ビル：ええ。

馬渕：彼は2005年に首相を退任しましたが、その翌年にロシアの国営石油最大手ロスネフチの社外取締役に就任していますからね。立派なもんですよ、ドイツ人は。

ビル：そんなことは、米国では普通のことですね。

馬渕：たしかに、普通のこと。ヨーロッパは、クリミアをめぐってロシアを制裁したことになっていますが、実際は関係をずっと維持してきたわけです。アメリカも同じ。オバマも表向きは手を振り上げましたが、実質的な制裁は行っていないですからね。

ビル：そう、結局ずるいんですよ。

セキュリティを守れないからこそ考えるべきこと

ビル：それでもやはり、ヨーロッパの国が中国の5Gを導入したいとのことです。米国は反対していますがね。

馬渕：私は、さすがにそうはならないと思います。ヨーロッパも少しはセキュリティに対する危機感があるはずですよ。だから私は、そんなに簡単にはいかないと思います。中国がいかにお金をばらまいてもね。なかなか、そううまくはいかないと思います。

ビル：ただ、申し訳ないけど僕の祖国は、いまでもセキュリティ意識はまったくゼロですよ。

馬渕：どういうことですか？

ビル：米国は、電話、スマートフォン、コンピュータから、すべて盗聴し、データを窃取《せっしゅ》しています。うちの会社はセキュリティソフトウェアを開発、販売しています。ただ、たまに、うちのソフトの本質についてわかっていないまま、営業担当者がセールスに行くことがあります。そういうのを発見すると、僕はいつも注意します。「セキュリティソフトは万能じゃない。それをきちんとお客さんに伝えないといけない」と。

馬渕： 万能じゃないというと？

ビル： うちのソフトを入れておけば、たとえやられたとしても言い訳になります。ただし、まったくソフトを入れていなかったら、言い訳さえできません。そういう意味です。

以前とある会社が、情報漏洩しないようにセキュリティのソフトを購入しました。けれども、システムを更新するときに、そのソフトを外したんです。すると、その瞬間に情報が流出してしまいました。ただし、そもそもソフトは基本的な情報漏洩を防ぐことはできますが、すべてのハッキングを防ぐことはできません。

僕の友だちはガラケーを使っています。そして、盗聴されているとわかっているから、シムカードをいつも外しているのです。ただし、電話をかけるときだけシムカードを入れますが、電話が終わったらすぐ外しています。そこまでやれば、さすがにある程度、セキュリティは効くんです。
つまり、「詐欺だ」とは言われたくないので、セキュリティソフトは万全ではありませんと言っているのです。それくらい、すべてのハッキングを防ぐのは不可能なこと。100%のセキュリティを求めるならば、コンピュータやスマホの使用をやめて、紙とえんぴつだけ使って通信すればいい。そうすれば安全ですから。

馬渕：ええ。それはある意味、正論ですね。結局、技術の進化にむしろ人類が追いつけなくなって、人類のほうが逆にやられちゃうという……。

中国の一人っ子政策から考える日本の少子高齢化対策

ビル：もっとひどいことに、地球資源は有限のものでしょ。

馬渕：そうですね。

ビル：地球資源は有限なのに、みんな無限だと思い込んでいます。50年前に比べ地球の人口は2・4倍になりました。しかも、一人当たりの資源の消費量は24倍増えています。人口2・4倍かける資源消費量24倍＝58倍です。つまり50年前と比べて、使っている資源量は地球全体で58倍も増えたのです。

インターネットなどでも盛んに報じられていますが、多くの科学者が、このまま変わらないと人類の絶滅は早くて10年後、遅くとも40年後だと述べています。これは全人類の自殺です。有限の地球で、無限の経済発展ができると思い込んでいるのです。

馬渕：おっしゃる通りだと思いますが、誰がそういう無限の経済発展を推進しているんですかね。

ビル：まず、日本の政府でしょう。

馬渕：日本の政府？

日本政府というより、経済官庁の官僚たちが依然として経済成長を叫んでいるわけです。官僚にとっては経済成長させないと予算が増えないし、自分たちの権限も増えないからでしょう。

ビル：いや、日本の政府や新聞は、「少子化は進む一方、人口は増えていない。そしてGDPも増えていない」と言っているじゃないですか。人口が増えていないのは「良くない」、GDPが増えていないのも「良くない」と、いつもメディアと政府は言っているでしょ。

馬渕：たしかに、一種の「成長神話」が依然として幅を利かせていますね。そして、少子化対応に外国人を受け入れようとしているわけです。

ビル：そうですね。

馬渕：アメリカもEUも、移民をだいぶ前から受け入れていますよね。

ビル：ええ。

馬渕：それは、もちろん良い面もあったかもしれないけど、負の側面のほうが強かったわけです。いまのアメリカを見ているとよくわかります。

ビル：資本主義は、四半期ごとに成長しないといけませんから、そのために安価な労働力を必要としてきたわけです。

馬渕：いや、資本主義とおっしゃったけれども、もっと厳密に言えば「金融資本主義」の考え方ですね。

ビル：たしかに。

馬渕：そもそも、利子というものがなければ、ずっと成長を追い求める必要なんてないんですよ。これは、トッテンさんが詳しく書かれていることですが。なぜ我々が利子を払わなければならないかということについて、どの経済学者も答えを出してくれないんです。

ビル：それは理由がないからですよ。

馬渕：というか、そうした金融システムを発明した連中が勝手に取るからでしょう。

ビル：それと、もうひとつは少子化。中国は長らく一人っ子政策をとってきました。

馬渕：いまは一応、その制限はなくなったようですね。

ビル：うちの会社に優秀な中国人がいて、彼女には兄弟がいます。つまり一人っ子ではありません。彼女は30代ですから、一人っ子政策時代に生まれています。では、なぜ兄弟がいるのを許されたのか。それは税金さえ支払えばよかったからです。一人目の子どもは無税。二人目は税金を取る。だから、お金の問題だけ。ただし、こうした政策の結果、最近の中国は高齢化社会になっています。

馬渕：だから日本は少子化対策として、逆をすればいいんですね。

ビル：そうですね。

馬渕：二人目の子供が生まれたら、税金を50%引くとか。3番目は100%税金を取らないとか、いくらでもやり方はあるはずです。

ビル：変化を促す刺激が必要ですね。人間は金銭的な刺激で動いていますから。

なぜ日本は、外国人に国家への忠誠を誓わせないのか？

馬渕：そもそもトッテンさんが、アメリカのいまのシステムの欠陥ともいうべきものに、最初に気づいたきっかけは、何だったんですか。

ビル：僕は、ずっと自分の商売のことしか考えてきませんでしたが、時代が平成に変わるくらいのころに、雑誌の取材で田原総一朗さんと出会いました。で、経済のことや日米の問題について聞かれた際、答えられるものとそうでないものがあったので、勉強するようになったのです。

そこで、知ったのがたとえば日米貿易摩擦の真実です。大前研一さんは、貿易摩擦を「インチキ」だと書いていました。500億ドルの対日赤字を盾に、米国は市場開放を日本に要求しましたが、日本に進出している米国企業の製品も、日本からの輸入品に含まれていたのです。

こうした日本で成功している米国企業は、日本を閉鎖的だとは言いません。日本市場に入るための努力をしない米国企業が、日本は閉鎖的だと米国政府に泣きついて起きたのが日米貿易摩擦だったのです。

さらに、もっと深入りすると、中国やマレーシア製の米国ブランドを輸入すると、それはあくまでそれらの国からの輸入品となります。つまり、米国企業は賃金の安い国に製造拠点を移し、結果、人件費を節約することで儲けているのに、日米のあいだには貿易摩擦があるということになってしまったのです。これが貿易摩擦のインチキということ。ところが、メディアはそういうことを一切伝えません。

もうひとつ、米国の大企業の社長は平社員の400、500倍もの給料をもらっています。もちろん配当とは別にです。これも異常ではないでしょうか。うちの新卒社員の初任給と僕の給料の差は8倍ですよ。平均給与と比べるとわずか5倍です。しかも、ほとんど女房に取られてますし（笑）。

馬渕：そうですよね。たしか、日本の場合は、新入社員と役員の給料差はせいぜい10倍くらいだったはずです。

ビル：ええ。だから、日本は平和で安全な国なんですね。

馬渕：その通り。

ビル：だから、みんな一生懸命働くんです。

馬渕：それが、アメリカのように400、500倍になったら、バカらしくて誰も働かないですよ。あるいは、とにかく儲けるだけ儲けたら、もっと待遇のいい企業に転職を繰り返すことになりますよね。

ビル：結局、米国は海賊の国だということ。僕の「トッテン」という苗字は、実はノルウェーの名前なんです。ノルウェーの一番高い山はトウ、トッテンのテンは「山」のことですから、つまりトッテンを日本語で言えば「富士山」になるんですね（笑）。

そのノルウェー人は1066年にイギリスを侵略して、イギリスは海賊の国になりました。その後、イギリスは米国を侵略して、米国も海賊の国になったわけです。

まさに、いまのグローバル社会を支配しているのは「バイキング」の価値観ですよ。つまり、強い人が勝ち、弱い人が負けるという弱肉強食社会。こうしたアングロサクソンの価値観を当たり前だと思ってきましたが、日本に来て、価値観がまったく違うことにものすごく感動しました。

それこそ、松下幸之助や本田宗一郎、出光佐三といった経営者たちは、一切利己的なことを主張しません。そして、とにかく社員を大事にしてきました。第1章でも述べたように、私が住む京都で設立された立石電機、いまのオムロンなんて、計画の視野は数百年という長期的なもの。四半期ごとの米国企業に比べて、日本企業のほうが、はるかに立派だと思いました。

つまり、僕が日本の国籍を取った理由は、そんな米国の国籍を捨てたかったから。まあこう言うと「売国奴」になってしまいますが……。

まだ米国人だったころ、ローレンス・サマーズという財務長官を務めた人のことを、テレビで責め立てました。ニューヨーク市立大学の霍見芳浩《つるみよしひろ》教授と一緒に。そうしたら、その数日後に米国の税金担当機関（ＩＲＳ＝米国内国歳入庁）から手紙が届きました。

「お前の税金を調べているぞ」

という脅迫の手紙です。そのとき思いました。

「あの国は、もはや民主主義の国ではない」と。

そんなことがあったので、米国籍を捨てたかった。そこで、日本の入国管理事務所に行って「日本国籍を取りたい」と言ったのです。すると、「どうして」と聞かれたので「米国の国籍を捨てたいから、受け皿として入れてください」

と答えました。

それから1時間くらい、手続きの関係でいろんな説明を受けたのですが、最後に「我が国は、二重国籍を許さないから注意してください。米国籍を捨てなければなりませんよ」って言われたんです。僕が最初に言った「米国籍を捨てたい」ということを、まったく聞いていなかったんだなぁと思いましたが(笑)。こうして日本人になりましたが、日本には差別は一切ないし、外国から来た人にも本当に親切です。みんな同じルールさえ守っていれば、とくに問題ないわけですから。

馬渕：私が改めて不思議に思うのは、外国の人が日本に帰化する際に、日本に対する忠誠の宣誓がないところです。「私は日本人として日本国家に忠誠を誓います」なんて宣誓はさせません、日本の場合は。

ビル：そうでした。

馬渕：たとえばアメリカの国籍を取る場合には、必ず星条旗に対して忠誠を誓ったり、あるいは聖書に手を置いて宣言するということをやりますよね。

ビル：おっしゃる通り。

馬渕：そこが日本というのは不思議な国なんですね。ただ、ここが先ほどの私の話と、ある意味で結びつくポイントではないかとも思うんです。つまり、トッテンさんが「日本人になりたい」って言ったら、それでＯＫなわけです。

ビル：まさに性善説の表れですね。

馬渕：そう、性善説。口には出さなくても、当然、忠誠を誓っているはずだということなんですね。我々日本人は、そうしたことをいちいち確認しないんです。言い換えれば、日本人になることは日本国家との「契約」ではありません。だから、宣誓という「言挙げによる契約」は不要とされたとも考えられます。

ビル：米国では、小学校のときから、１日の授業が始まる際にみんなで立って国旗に向かってこう言わされるんです。

"I pledge allegiance to the flag of the United States of America, and to the Republic for which it stands, one Nation under God, indivisible, with liberty and justice for all."

（私は米国旗、それに象徴される共和国（＝米国）、全人が自由と正義を持った神の下の国家に忠誠を誓います）

こんなことを、まるでナチスドイツ、あるいは戦前の日本のように強制的にやらされるわけです。一方の日本は、性善説、お互いさま精神で信用し合っていると思います。

馬渕：それはありますね。確かめなくても、誰もが日本人なんです。ところがアメリカの場合は、忠誠を誓わないとアメリカ人かどうか信じられない。アメリカ自体が人工国家ですから、そういう儀式が必要なんですね。

一方、日本は自然に人が集まってきて、誰もがなんとなくここで生活し始めてできた国だから、一人ひとりに「オマエは日本という国に忠誠を誓うのか」と聞く必要などないのです。

日本が真の独立国になるために必要なこと

馬渕：そうしたアメリカのマネーについて、今後どうなるとトッテンさんはお考えですか。

ビル：2010年1月に連邦最高裁判所が、いわゆる「シチズンズ・ユナイテッド判決」というのを下しました。これによって変わったこと。それは、政治献金を無限にできるようになったのです。こうなると、当然、政治家を買収することができるようになります。

さらに、リーマン・ショック後の処理を見ればわかるように、金融機関が潰れそうになると政府が国民の税金を使って買収し、潰れないよう支援しています。つまり、米国は金権国家になってしまったのです。日本は、実はそれほど金権が幅を利かす国ではありません。

ヨーロッパもかなりそうですが、一番極端なのはやはり米国です。

のです。

“Money can buy anything.”

つまりお金さえあれば買えないものなどない、というのがいまの米国の本質なのです。

ただ、米国にくっついている国、もちろん日本も危ないと思います。規制緩和や民営化などは、当然米国の差し金です。

たとえば、バブルを起こした元凶ともされる1986年に発表された「前川レポート」は、元日銀総裁の前川春雄さんが座長を務めた研究会がまとめたとされていますが、本当にそうでしょうか。英語版を読むと、誰が書いたのか一目瞭然です。

実は米国政府の要求と、前川リポートの内容はほとんど一緒なのです。当時、米国の対日赤字は膨らむ一方で、米議会は対外制裁を柱とする包括通商法の条項のひとつ「スーパー301条」を通過させ、対日強行措置を迫っていました。前川レポートは、その要求を代弁したにすぎません。

「経常収支不均衡は問題だから輸入を増やしなさい」「海外にどんどん直接投資

をして工場や産業を国外へ移転しましょう」「国内の市場を開放して関税を下げ、非関税障壁も撤廃して輸入の促進を図りましょう」といった内容です。

実は、その前の１９８５年に澄田《すみた》智《さとし》さんがやったこともそうです。前川さんの次の日銀総裁だった澄田さんが、米国の命令でドル安、円高のための市場介入をしたのが「プラザ合意」です。それが大型バブルをもたらし、やがてはじけて、以来日本はずっとデフレが続いています。

ところが、そうしたことをメディアは一切報じません。ここまでくると聞きたくなるのが、日本は本当に独立国なのかということ。たとえば、米国大使館の周りの歩道を、どうして一般市民は歩けないのでしょうか。

馬渕：それは、ウィーン条約で決められているからなんですよ。ウィーン条約で、大使館の周りは静謐を保たなければならないと定められています。

ビル：米国だけですか。

馬渕：いや、どこの国もそうです。

ビル：中国やロシアの大使館は、まん前も歩けますが。

馬渕：アメリカ大使館が特別に思えるのは、昔から反米デモが盛んだったからですよ（笑）。ただ「日本は本当に独立国なのか？」という質問に対して、簡単には答えられない気がします。

げんに、さまざまな人が「日本は独立国家ではない」と言っています。たしかに、ある視点から見ると独立国家とはいえない。しかし、別の視点から見れば立派な独立国家だといえる。

私は、日本が独立国家であるかどうかという言葉の問題よりも、むしろ、日本人自身が本来の日本、日本人の伝統的な生き方を取り戻せるかどうかこそが、問題だと思います。その意味では、名実ともに日本の伝統を取り戻すことが大事なのではないでしょうか。

ビル：大賛成です。

馬渕：だから、アメリカ軍がいるからどうだとか、日本の政治を動かしているのはアメリカ人のジャパンハンドラーだという言説は、もういい加減卒業して、我々自身が何をすべきかを考えたほうがいい。いや本来、それしかすべきことはないんです。なぜなら、他人を変えようとしてもなかなかできませんが、自分を変えることはできるのだから。
ただし、変わるといっても、何か新しいことをやるのではなくて、我々はただ「復古」すればいいだけ。日本の歴史を振り返れば、「日本を取り戻す」といった国民的大事業は、復古の精神、つまり古来の知恵に学ぶという姿勢が、成功のカギを握っているといえます。
本来の日本人の生き方は何かということを振り返って、それを現在の環境下で実践すればいいんです。それが、日本の真の独立につながるんです。

ビル：本当にそう思います。日本人に期待しています。

馬渕：私は日々、淡々と自分の「分」を尽くしていれば、それが実は日本が良くなる最短ルートだと思うんです。そういう意味では、トッテンさんには引き続き頑張ってもらいたいですね。

ビル：それは、本当にそう思います。それぞれの人が自分の役割を果たす。これが一番大切なんです。

馬渕：ところが、誰もが一番最短の道については議論せずに、何やら難しいことばっかりやってるわけですよ。いま、どこに経済のトレンドはあるのかとか、アメリカ式経営がどうだとか……。そんなことではなく、我々が我々自身の生き方を取り戻せば、すぐに日本の問題なんか改善できるはずなのです。

ビル：僕もそう思います。この点においてまったく大使と同じ意見です。

第5章

ビルの視点

コロナで変わる世界経済と、私たちの新しい働き方

GDP世界第1位なのに国民をウイルスから守れない米国

2020年、グローバリゼーションの時代はピークを越えました。

1月に中国が新型コロナで大規模な隔離措置をとったことで消費と生産が減り、中国の石油需要が落ち込み、サウジアラビアは原油価格の急落を避けるためにOPECとロシアに原油の減産を頼みました。ロシアが拒否して原油価格は3月後半には1バレル当たり20ドル近くまで下落し、これにより掘削コストの高かった米国のシェールオイル企業が経営破綻しました。

グローバル化された経済のネットワークから中国が撤退したことで、経済システム全体が攪乱《かくらん》されたのです。

OPECとロシアが協調減産に合意して原油価格は一時は持ち直しましたが再び下落し、4月には米国のWTI（West Texas Intermediate＝テキサス州で産出される良質な原油のこと。その先物価格は世界的に重要な経済指標のひとつ）の5月先物価格が1バレル＝マイナス

37・63ドルと、史上初めてのマイナス価格で取引されました。これは、売り手が買い手にお金を払って引き取ってもらうことを意味します。

飛行機が飛ばなくなり、感染が拡大した米国で都市がロックダウンされたことで、ガソリンをはじめ、あらゆるエネルギー需要が消えました。借りたい人がたくさんいるからこそ、借り手は貸し手に金利を払ってお金を借りますが、金融緩和で大量にお金が供給されて以来、借り手がなくなり、ヨーロッパや日本は「マイナス金利」を導入しました。それから数年後、原油の先物価格がマイナスになるなど誰が想像したでしょうか。

石油も需要がなければ貯蔵施設が満タンになってしまうため、売り手が原油在庫を抱えるリスクを嫌い、保管費用などを考慮するとお金を払ってでも売却を急がざるをえなくなったのです。

米国は安価な労働力と材料を求めて、サプライチェーンをグローバルに広げていたため、新型コロナ対策に必要なN95微粒子用マスクも薬も、中国から取り寄せなければなりませんでした。世界で最も高額の先進医療を誇る米国の病院では、医師や看護師が新型コロナに対処するための保護器具さえ十分に調達できないのです。

GDPが世界第1位の経済大国米国は、新自由主義を追求してきた結果、高額な医療費にあえぐ数千万人の無保険者、世界一の刑務所人口にホームレス、オピオイドなど麻薬の蔓延の一方で、一握りの億万長者が存在する超格差社会でもあります。それが感染者や死者の増加をもたらした一因です。

いずれにしても新型コロナによる騒動は、米国が軍事費として70兆円も費やしながら（おそらくそれゆえに）、国民をウイルスから守ることのできない国であることを世界に露呈しました。

意味をなさなかった新型コロナのシミュレーション

グローバリゼーションは、大規模な民族移動と人口増加、道路などのインフラの発達、都市化や移民の流入などから始まりましたが、今日では1980年代からの新自由主義を背景に「小さな政府」が標榜された結果、資本さえ国境を越え自由に移動できるボーダーレス社会になっています。

日本では、「大きな政府」では国民の税負担が増える一方だとして、「小さな政府」を求める小泉純一郎、竹中平蔵両氏による小泉・竹中改革によって、郵政民営化などの規制緩和が次々に推し進められました。

一方、世界で最も強力なグローバリズム提唱者のひとりが、マイクロソフトの創業者であるビル・ゲイツ氏です。

中国で新型コロナが発生する2カ月前、「パンデミックが世界規模で経済・社会に及ぼす深刻な影響の緩和に向け、世界的な官民協力が急務」だとして「イベント201」というパンデミックの〝演習〟が米国で行われました。

ニューヨークで開かれた、この「マルチメディア・シミュレーション」の主催者はジョンズ・ホプキンス大学の健康安全保障センター、世界経済フォーラム、そしてビル&メリンダ・ゲイツ財団で、「次に発生するコロナウイルスのパンデミックにより、1年間で6500万人が亡くなる」というシミュレーション結果を公表していました。こうしたシミュレーションをしていながら、その米国が世界で最も多くの死者を出しているのは皮肉なことです。

グローバリゼーションの提唱者は、経済発展を遂げて権力を手にした人々です。なぜならグローバリゼーションとは、そうした人たちにさらに権力を集中させるシステムのことだからです。

たとえば世界貿易機関（WTO）は、一握りの多国籍企業が、工業製品や農産物、サービスなど、あらゆる世界市場で利益を追求できるよう自由競争を促そうと、関税や諸々の規制撤廃を目指す、多国籍企業のいわば出先機関なのです。そしてそのWTOの提案は、多国籍企業を儲けさせる代わりに、日本の農家や地元企業を倒産や失業に追いやることになるのです。

グローバル支配を目指す食料と種子をめぐる戦い

米国のヘンリー・キッシンジャー元国務長官は2020年4月3日、米紙ウォール・ストリート・ジャーナルに「新型コロナは世界の秩序を永久に変えてしまう可能性がある」という寄稿文を出しました。グローバリストの先鋒であるキッシンジャー氏は、食料、ワクチン、医療品、種子に至るあらゆるものを〝戦略的武器〟として扱うことを提唱していた人物です。

キッシンジャー氏は、新型コロナにより、自由な移動や貿易に障壁がもたらされ、各国の指導者が国家単位で国境を閉鎖して危機に対処していることに警鐘を鳴らし、各国が門戸を閉ざし、自国だけが生き残る道を探るのではなく、世界的に協力し合うことが必要であることを訴えました。

また、未来に起こる可能性のある伝染病に備える計画、つまり感染の抑制と医療設備の備蓄、そして「ワクチン」の必要性も強調しました。つまり「グローバルアジェンダ再編」を訴えたわけです。

ビル・ゲイツ氏もキッシンジャー氏も、食料や種子を握ることがグローバル支配につながることを理解しています。ゲイツ財団は、核戦争などが起きて農業用種子が絶滅したときのために、世界中から種子を集めているノルウェーの「種子バンク」に、バイオ化学メーカーのモンサント（2018年、ドイツ企業バイエルに買収され消滅）やロックフェラー財団などとともに資金を提供しています。

日本では新型コロナに関するニュースばかり報じられていますが、その陰で、「種子法の廃止、種苗法の改正」など、大切な法律や制度が審議されているのです。これらの法律が廃止されたり改正されたりすれば、国内農家の自家増殖（自家採種）が原則禁止され、農民の種子への権利が制限されてしまいます。それによって農業や農作物の多様性、持続可能な農業への道が阻害されかねないのです。

また、多国籍企業による「種」の集中支配を促しかねないとの懸念もあります。日本は先進国のなかでも食料自給率は最低水準です。キッシンジャー氏もコロナ後の世界を懸念していますが、今後世界がどう変わるかは見通しが立ちません。

感染が広まり海外に食料を頼れなくなったら、あるいは輸入が止まったらどうなるのでしょうか。そうしたなかで、なぜ農業を壊しかねない法改正を行うのでしょうか。当たり前のことですが、種子を多国籍企業に支配させてはならないのです。

コロナ禍で生まれた意外な環境改善

かつて反グローバル化推進者は、グローバル化を止めることができなければ地球は破滅に向かう、そのために先進国は生活水準を下げるべきだという主張をしてきました。新型コロナはある意味、強制的に先進国にそれを行わせたわけです。

欧米の国々で次々と外出禁止令が出され、ようやく日本も緊急事態宣言が発令されるなか、最初に新型コロナウイルスの感染者を出した中国湖北省武漢《ぶかん》では４月８日、封鎖措置が解除されました。武漢が鉄道と空港を閉鎖し地下鉄などすべての公共交通機関も運休することで、市外への移動だけでなく市内移動も制限するという厳しい措置をとったのは1月23日のことでした。

そこで何が起きたかというと、環境団体CREA（Centre for Research on Energy and Clean Air）の研究チームによれば、中国政府が感染拡大を抑える目的で春節休暇を延長したことで、2月3日〜16日の2週間だけで中国の二酸化炭素排出量が前年比で1億トン減り3億トンになったというのです。

1億トンは南米チリが1年間に排出する二酸化炭素の量に等しく、工業都市武漢が経済と市民の自由を犠牲にしたことは、感染拡大を抑止しただけでなく地球環境の改善までもたらしました。

石炭火力発電や工場だけでなく、飛行機や自動車など人間の活動は膨大なエネルギーを消費します。米航空宇宙局も、2020年になって中国で汚染レベルが大きく下がっていることを示す人工衛星写真を公開しました。中国経済を麻痺させた新型コロナウイルスは、地球環境にとってプラスに作用したのです。

死者の数が武漢を上回った北イタリアも、大気汚染の問題を抱える工業都市です。大都市ミラノを州都とする北部ロンバルディア州は、工場や自動車の排ガスなどによる汚染が、ヨーロッパのなかでもとくにひどい地域でした。ところが、イタリア政府が国内移動の禁止と工場操業など全経済活動の凍結を命じたことで、ここでも大気の環境改善が見られたのです。

２０１９年6月、イギリス王立地理学会は米軍が気候変動の重大な原因のひとつであるという報告書を発表しました。米軍の二酸化炭素排出量は、活動範囲が世界的規模であることから膨大なものとなり、それを国別の排出量と比較すると世界47位にあたり、工業国のスウェーデンよりも多かったのです。

２０１７年、米軍は1日に26万９２３０バレルの石油を購入し、それを燃やし２万５０００キロトン以上の二酸化炭素を排出しながら世界各所を爆撃しました。スウェーデンの環境活動家グレタ・トゥンベリさんは、気候変動により大量絶滅が始まっているにもかかわらず、各国首脳たちは温室効果ガス排出問題に取り組まず、「私の夢を奪った」と言いました。

新型コロナウイルスは、当然米国の軍人にも感染します。3月末の時点で沖縄や横須賀の在日米軍基地を含めて500人以上の兵士が感染し、死者も1名出ていましたが、米国防総省は3月末に米軍の感染者数や詳細をすべて非公開にする方針に変えてしまったため、いまの状況はわかりません。

しかし、新型コロナ感染によって米軍による世界各地での攻撃が減少しているのは確実だと思います。

変わる働き方とビジネスパーソンの意識

新型コロナ感染阻止のために大半の経済活動が事実上止まったことで、世界では大量の失業者が出ました。米国では3月から4月の4週間に申請された失業保険は2200万件にも上り、支援団体が提供する食料を求めて、仕事を失った人が長蛇の列をつくりました。

米国の雇用者の産業別構成比を見ると70%以上がサービス産業です。そのなかでも、飲食業や観光などで大量の労働者がレイオフされました。日本でも緊急事態宣言によって、人の移動の制限、小中高の一斉休校、観光業・飲食業の休業をはじめ、さまざまな企業や個人に影響が出ました。

日本政府は事業者に在宅勤務やテレワークへの移行を求めましたが、すべての仕事が自宅でできるわけではないので、休業を余儀なくされた企業は、政府からの補償や特例措置を待つことになります。


コンピュータのソフトウェアを販売する私の会社、株式会社アシストでは、東京都知事からの感染拡大防止の要請を受け、3月25日から全社的なテレワークを開始し、複数人でのミーティングはビデオ会議に移行しました。

テレワークがスムーズに導入できたのは、2018年に東京都の「テレワーク活用促進モデル実証事業」に参加し、社員の1割強がすでにテレワークに取り組んでいたことと、2019年4月から具体的なチーム制テレワーク検証に取り組んでいたからです。

ＩＴ企業のなかには、早くからテレワークを導入していた会社も多くありますが、我が社はそうではありませんでした。しかし、2020年の東京オリンピック開催を前に政府がテレワーク推進を打ち出したこともあり、それをきっかけに、本格的にテレワークを導入するなら、抜本的に業務を見直そうということになり、その検証を行ったのです。

私の会社は「チーム」で働くことを大切にしています。私が日本に来て1972年に社員6人でアシストを設立したとき、まだ日本語も片言でした。私の担当は営業で、技術や事務は他の社員が担当し、それぞれが同僚の仕事がうまく回るよう気配りをして働いてくれたおかげで、会社はだんだん大きくなってきました。

優秀な社員が10人いればもっと早く会社は伸びたかもしれませんが、将来のわからない小さな会社にとって求人は簡単ではありませんし、そもそも大勢に給料を払えません。でも6人がチーム力を発揮することで、うまくいくことを学んだのです。

設立10年で社員は100人くらいになり、社員一人ひとりとの交流が減ってきたので、私がどういう価値観で会社を運営しているのかを文章にまとめ、社員全員に読んでもらいました。さらに、社員からの反論や意見も聞きました。そうしてできたのが「哲学と信念」という会社の「道徳」です。

そのなかのひとつに、社員に求めることとして、次のような一文を入れました。「一匹狼よりもチーム・プレーヤーである人、人と一緒に働くことを好み、チームや仲間の成功こそ自分にとって最も利益となると考える人」

アシストに入社する人には、この「道徳」を入社前に読んでもらっているので、チームで働くのが好きな人が集まっているはずです。

コロナ後に生まれる新しいビジネスチャンス

ご存じの方も多いと思いますが、改めて説明すると、テレワークとはパソコンとネットワークを使うことによって、働く場所や時間にとらわれない柔軟な働き方のことです。以前から、在宅勤務制度を一部の社員に利用してもらっていましたが、「チーム」での働き方を考えたときに、個人の都合で在宅勤務を認めるということは、特定の社員だけに「福利厚生施策」を提供することになってしまうのではないかと懸念していました。

会社に出社して仕事をする人にしわ寄せが来たり、これまでのような意思の疎通が妨げられ、チーム力が落ちたりするのではないかという思いもありました。

それでもコンピュータソフトウェアをお客さまに提供している会社が、世の中の風潮に遅れることは命取りです。そこで、うちの会社の良いところをさらに強めるような働き方改革、つまり、テレワークありきではなく、テレワークをきっかけとした業務の見直しにつなげることにしました。

具体的には、チームのミッションの再確認と各個人が担当している業務の重要度の評価と時間配分の確認。それをベースに、「チームとしての」業務の重要度の設定と現状の時間配分などから、改善ポイントを議論して共有しました。

テレワークにおいても、チームレベルで行う業務の価値や期待成果を再確認しました。チーム制テレワーク検証を行った社員は、この作業は有益だったと言います。現在の業務を当たり前とせず、チーム内で再確認し合うことで、お互いの仕事やさまざまな改善手段も出てきたからです。

働き方が変わっても、チーム力という強みをまず意識することができたのは幸いでした。そんな矢先に、新型コロナの感染が拡大し、外出自粛要請が出されたのです。

そこで、アシストでは、どうしても会社に来なければならない社員を除き、テレワークへ完全移行することにしました。コンピュータやネットワークのインフラも、情報システム部員の迅速な働きのおかげで整えられました。

新型コロナは、我が社だけでなく政府が進めたかった「働き方改革」を一気に推し進めたのです。

ウイルスの治療薬、ワクチンが確立されるまでは、感染が抑えられてきたとしてもしばらくマスクや手洗い、社会的距離（ソーシャルディスタンス）は求められるでしょう。

そうなると人の流動性は低くなって行動範囲は制約され、経済活動は技術を利用した「仮想的」なものにとって代わります。

アシストでも、仕事のあとチームなどでビデオ会議で「飲み会」をしているという話も聞いています。私にはまだお誘いが来ていませんが……。それはさておき、今後、人々が1カ所に集まって仕事をするのではなく、テレワークのようにネットワークでつながって仕事をすることが普通になっていくでしょう。

技術はツールにすぎません。これまで、会社という同じ場所に集まって仕事をしていたのは、そこに行かなければ読めない書類があったり、人と会って話をしたりする必要があったからです。

ところが、電話、ファクス、コンピュータの登場、それらがネットワークでつながりどこにいても書類の共有やビデオ会議ができるようになれば、たとえば東京の本社に集まる必要は少なくなります。決められた場所でなく、働く場所を選ぶことができるようになれば東京の地価は下がり、地方も活性化するでしょう。

新型コロナで世界経済は悪化することは確実ですが、そこには新たなニーズが必ず生まれ、新たなビジネスチャンスができるはずです。

プライバシーの問題と止まらぬデジタルシフト

ジョージ・オーウェルの小説『一九八四年』には、３つの大国が出てきます。その３国は絶え間なく戦争をし続け、互いに領土拡大を狙います。主人公はそのうちの一国に住んでいますが、そこは徹底した独裁国家で、国民には一切の自由も与えられていません。過去の歴史も最新の情報も、国が都合よく毎日書き替えてしまいます。密告社会で親も子も互いに監視し合っています。至る所にモニターが設置され、常時監視されています。

この『一九八四年』のような社会が、早々に新型コロナの拡散を抑え込んだ中国、また新興宗教のイベントで感染が爆発しましたが、その後、検査と自宅隔離の徹底で感染拡大の抑制に成功した韓国と重なります。つまり両国は、感染経路追跡のためにスマホＧＰＳやクレジットカード履歴のアクセスなどを利用し、調査に協力しなければ罰則適用など、厳しい防疫制度をとってきたのです。

もっとも米国も同じです。

アップルとグーグルは、感染者の近くにいた人を見つけ出して本人に通知することができるアプリを共同開発すると発表しました。もともとスマホや携帯端末は位置情報を送信し続けているので、米国はすでに陰で人々の行動を追跡していたのですが、新型コロナの発生で、それを利用して個人や集団が外出禁止命令を守っているかどうかを監視することを宣言したわけです。

個人のプライバシーの尊重という問題から難しいと考えられたことも、新型コロナ騒動によってどんどん導入が進みそうです。

企業がテレワークやビデオ会議を使うように、各医療機関も感染者と非感染者の接触を避けるために、ネット問診やリモート診断を導入するようになるでしょう。

新型コロナの場合、多くの人は軽症で重篤になるのは高齢や基礎疾患のある人と言われています。医療崩壊をさせないためには、医師の感染や病院に来た患者間の感染を防ぐ必要があります。

そこで登場するのがＡＩやロボットです。

空港や駅、オフィスビルなどでの無接触体温測定、人々の移動状況、消毒ロボットなど人間が行う作業を代替して感染拡大を防ぐのです。

このように、すでに行われているサービスをデジタルへとシフトすることは感染症の時代の危機管理として急速に広まり、テレワーク同様、感染拡大が収まるころには、きっと社会に浸透していることでしょう。

第6章

馬渕の視点

武漢肺炎騒動後の世界
――忍び寄る戦争に備えよう

すでに世界は戦争状態に突入した

武漢肺炎（新型コロナウイルス）がもたらした世界的混乱の結果、今後世界は、そして日本はどうなっていくのかを展望したいと思います。

残念ながら、大変暗い見通しにならざるをえません。その理由は、世界はすでにさまざまな次元で戦争状態に突入してしまったからです。我が国にあってはまさしく国難です。

いま問われているのは、政府にあっても、私たち一人ひとりにあっても、どう危機管理を行うかということです。危機管理の要諦《ようてい》は、現在の武漢肺炎蔓延を防止するという短期的な視点だけでなく、この肺炎騒動後の世界のあり方を見据えて、ピンチをチャンスに変えるという前向きな気持ちで対応していくことにあります。

我が国においては、1995年1月の阪神淡路大震災のときも、また2011年3

月の東日本大震災のときも、政府の危機管理がお粗末であるとして批判を受けました。しかしながら、幸いなことに国民の皆さんの民度の高さによって、日本の社会の秩序が救われました。いわば、国民の側の危機管理意識が発揮されたと言えます。世界も、当時の政府の対応を評価したわけではなく、日本国民の冷静な行動を評価したわけです。

そのことは、いまから9年前の東日本大震災を思い出してみればわかります。被災者の方々が困難な状況にもかかわらず助け合いの精神を発揮されて、皆さんで乗り切られた。これは、ひとえに日本国民の民度が高かったからだということが言えると思います。

私自身も40年間外交の世界に身を置いて、さまざまな国を見てきましたが、日本人の一般の方々の民度は、非常に高いものがあると思います。世界のなかでも有数だといえるでしょう。

我々は日ごろの生活においては、そういうことはあまり意識せずに生活しています。

しかしながら、一旦緩急あれば、つまり何か事が起こったときに私たち本来の資質、眠っていたＤＮＡが目覚めるということだと思います。

毎日の生活において、いつもこのような道徳的な生き方を意識しているわけではありません。しかし、そうした生き方そのものを綿々と引き継いできているということが、言えるのではないでしょうか。

これからの世界というものは基本的に暗い、あるいは大変動の世界になると思いますが、少なくとも日本国民の方々の民度の高さが続く限り、我々は決して絶望する必要はないということを最初に強調しておきたいと思います。

それは、日本だけが助かって世界がひどくなるということではもちろんありません。世界の多くの国にも民度の高い国民は少なからずおりますし、立派な指導者をいただいている国もあります。ですから、これからは日本だけでなく世界とともに、どのようなやり方で、この武漢ウイルスがもたらした世界秩序の変革に対応していくかということを、我々はいまから考えておく必要があるのだろうという気がします。

今回、中国武漢で発生し、イタリアを中心とするヨーロッパを大惨禍に巻き込み、さらにアメリカまで飛び火した武漢ウイルスですが、まさにマクロン仏大統領が述べたように、これはもう戦争です。

ただし、「衛生面での戦争」という限定された形にとどまっているわけではなく、もうすでにさまざまな形態で世界規模での戦争が始まっているのです。たとえば、現在起こっているのは、マスクや人工呼吸器、検査キットなどの争奪戦です。高値で転売したり、政治的目的でこれらの輸出に条件をつけるなどの火事場泥棒的行為が、国家ぐるみで平然と行われている例も見られます。

日本のなかにおりますと、4月に緊急事態宣言が発出されたとはいえ、全体的には感染者数は1万人台で死者数も数百人のオーダーにとどまっており、まだ平和ですから、実感としていまが戦争状態にあるとは一般には認識されていません。しかし、断片的とはいえ、外出禁止令が発布されたヨーロッパの大都市やニューヨーク市の閑散とした様子を見れば、もう異常事態であるということは容易にわかるわけです。

つまりこれは平時ではない、明らかに有事だということなのです。そういう意味ではすでに、世界的な規模で戦争状態に突入しているということになります。

日本ではまだそこまで切迫していないとはいえ、欧米はそういう意識を持って対応しているように思えてなりません。欧米以外にも、イランでの感染拡大が突出していますし、医療水準の低いアフリカや中東、あるいは南米諸国の地域にこれが拡大すればどうなるかということは、容易に想像できるところです。

グローバリズム秩序の崩壊

このような世界的混乱のなかで、結局何が問われているのか。

それはひと言で言えば、これまでのグローバリズム、あるいは世界のグローバル化に基づく秩序というものが、これで終わったということだと断言します。少なくとも、意識の上では終わりました。現実の世界においてはまだその残滓《ざんし》は残りますが、もう終わらせなければならないことに世界が気づいたということです。

グローバリズムという世界秩序が壊れたということは、グローバル市場化によって国際金融資本が世界経済を運営していくという仕組みが壊れていくことだと思います。それが壊れる以上は、新しい仕組みというものをつくり出さなければなりません。ところが、その場合には必ずこれまでの秩序を死守しようとする守旧派と、新しい秩序を構築しようとする新興勢力のあいだで価値観の闘争が起こります。これは、世界の過去の歴史を見ればわかることです。

いままで水面下で起こってきたこの価値観の闘争というものが、武漢肺炎ショックを契機としていよいよ顕在化してきました。それをひと言で言えば、「グローバリズムvsナショナリズムの闘争」ということになるのだと思います。現在、世界的規模で利害関係勢力間の新しい秩序をめぐる戦いが進行中なのです。

武漢ウイルスがこれほどまでに世界に急激に拡大したのは、グローバル市場化の進展によって、モノ、カネ、ヒトの国境を越えた移動が活発化して、世界各国の相互依存関係が深まった結果でもあります。

これまで我々は、「相互依存」というきれいごとに騙されてきた、というのは言い過ぎですが、相互依存の良い面しか見てきませんでした。メディアをはじめとして、政治家や経済界の人々が相互依存の良い面だけを強調してきたからです。

これは、一見誰も反対できないが、実際は特定の勢力に有利であるという、いわゆる「ポリティカル・コレクトネス」による無意識的な洗脳です。言うまでもなく、相互依存には良い面と同時に危険な面もあります。今回は、その危険な面が一挙に噴出したということなのです。

たとえば、もうすでに反省や見直しが行われていますが、中国の改革開放路線を鵜呑みにして、東西冷戦終了後、製造工場などを安価な労働力が豊富な中国に移転した結果、欧米諸国や日本においては製造業の空洞化が起こりました。いまや、多くの工業製品の供給を、中国に進出した自国企業からの輸入に頼らざるをえなくなってしまったわけです。これが、いわゆるサプライチェーンと呼ばれる問題です。

我が国のメディアでは、中国での武漢ウイルス感染拡大の結果、中国の工場で生産した部品が入ってこなくなり、日本でも自動車工場をはじめとした生産が制約を受けるということが大きく報じられていますが、これは本当のところを報じていません。

中国の工場でつくられた部品が入ってこないということではなく、中国に進出した日系企業からの部品が入ってこないというのが実際のところなのです。ところが、メディアは日本企業の中国進出のマイナス面を報じるのを避けるために、この点をごまかして読者、視聴者を洗脳しているのです。


今回の武漢ウイルス騒動に際し、そういったグローバルな経済のあり方というものを、見直す契機になりました。すでに日系企業のなかには、工場を中国から東南アジア諸国に移す企業が出てきました。さらに、工場を日本に回帰させる動きも出てきており、政府もこのような企業に対する支援策を検討しています。

供給先の多角化ということですが、経済界は東日本大震災の際に一部の部品などの供給先が被災地域に集中していたため、しばらく供給が滞り生産活動の停止を余儀なくされた苦い経験がありました。しかし、供給先の集中の危険に学んでいなかったことが露呈してしまったのです。

これが、先ほど述べたサプライチェーンのあり方についての見直しにつながっていくと見られます。安易に中国に工場を移転することが、いかに危険であるのか。その授業料は大変高くついたのではないでしょうか。

そこで結論を急げば、これからは経済問題も含めて、ナショナリズム的な思考が支配的になるだろう、あるいは支配的にならなければいけないということを再度強調しておきたいと思います。

その理由を理解するためには、世界経済のグローバル市場化というものが、一体誰の利益になったのかということを考えればいいのです。

マネーの支配の終わりの始まり

結局、グローバル市場はマネーによる市場であったということは、これまでに何度も申し上げてきましたが、マネーを支配するものがグローバルな市場を支配していました。

グローバル市場化勢力の広告塔であるフランスの経済学者、ジャック・アタリは著書『21世紀の歴史』のなかで、21世紀初頭は市場の力が世界を覆っているとして、「マネーの威力が強まったことは個人主義が勝利した究極の証であり、これは近代史における激変の核心部分でもある。すなわち、さらなる金銭欲の台頭、金銭の否定、金銭の支配が、歴史を揺り動かしてきたのである。行き着く先は、国家も含め、障害となるすべてのものに対して、マネーで決着をつけることになる」と喝破しています。

アタリは、市場の力とはマネーの力だと断言しています。つまり、マネーを支配する者が市場を支配するということです。誰がマネーを支配しているか、それはマネーを発給する者たちで、各国の中央銀行の株主ということになります。

アメリカのFRB、EUのヨーロッパ中央銀行、日本銀行、これらはいずれも民間銀行です。これが、グローバル市場化の隠された真実なのです。

そうしたグローバル市場化のもとで、マネーを支配できない者はどうなるかというと、このグローバル市場に隷属せざるをえません。ほとんどの日本企業はその隷属する側だったわけです。

日本の企業はグローバル市場の重要なプレーヤーではなく、ただグローバル市場に組み込まれていた受け身の存在にすぎず、グローバル市場におけるアジェンダセッティング、つまり、その秩序をつくる側にはいなかったということなのです。


このような不利な立場にあるにもかかわらず、グローバル市場にこだわってきた我が国の経済界の体質が、いま根本から問われているということだと思います。

マネーの力というものは、必ずしも経済人の行動様式への影響だけにとどまるものではありませんでした。私たちの生活様式もマネー第一主義に陥ってきたわけです。

このように、結局マネーの価値というもので世界が動いてきたということなのです。今回の武漢ウイルス問題で、マネー中心の価値観が変わらざるをえなくなっています。その象徴的な事象が株式市場の暴落です。

株価というものも結局は、幻想なわけです。株が上がれば経済が良くなっていくと、一見するとそのように思えますが、その土台は非常に脆弱《ぜいじゃく》であったということが、今回のコロナ事件で改めて明らかになったわけです。

逆に言えば、マネーを支配する人たちにとっては、いつでもそのマネーを彼らの有利なように使うことで、世界の競争相手を倒すことができ、自分たちの地位を強化することができるということが、今回改めて明らかになったのではないか、という気がします。

株式市場に投資している一般の投資家の方々が大損をしても、マネーを支配している人たちやその仲間は、決して大損をしないわけです。株式に投資している一般の人々は、このような株式市場の仕組みをよく考えておかなければならないと思います。新自由主義経済体制のもとで、一般の投資熱を煽る傾向が見られましたが、今回の危機を契機に改めて株式市場の〝正体〟が顕在化したと言えるのです。

日本の経済評論家は株価の上下の理由をいろいろと解説してくれますが、そのほとんどがただの「作文」です。本当の理由などわかりようがありません。そもそも巨大なマネーを動かしている機関投資家の匙加減ひとつで、株価は上がったり下がったりするわけですから。

しかも、彼らの投資活動はかなりの程度コンピュータ化されていて、1日のうちに何度も売り買いして利益を上げているのですから、一般の投資家が太刀打ちできるはずがありません。そういう「騙しの経済」というか、「幻想のマネー経済」というものが、いよいよ白日の下にさらけ出されてきたということが言えるのではないかと思います。

いままで、そういったグローバル経済を事実上擁護してこられた保守系の方も含めた経済学者や経済評論家にとっては、由々しい事態だと思います。けれども、もう従来の価値観に基づく世界経済の解説というものは、通じなくなりつつあると言っても差し支えはないのだろう、という気がします。

では結局、グローバリズムからナショナリズムへの価値観の転換というのはどういうことかというと、グローバリズムは徹底的な唯物論とでも言うべき、物質的な価値、つまりマネーの価値が唯一の価値と言ってもいいぐらいの価値観でした。

では、ナショナリズムの価値というのは何か。

ナショナリズムというのは偏狭な価値観であると誤解されがちですが、そうではなくて、物質的な価値の重要さは否定しないものの、それ以外に伝統文化であるとか、生活習慣であるとか、そういう民族に連綿と継承されてきた価値を大切にするという側面を持っているわけです。

これからはそういったナショナリズムの側面、つまり、目に見えないものの価値が重視される時代が来るだろうと思われます。そうすると、いままでは具体的に目に見える価値だけで動いていた市場が、目に見えない価値も同時に考える市場になっていくということなのです。

そうなったときに市場というもの、マーケットというものの定義そのものが、変わっていくのだろうという気がしてなりません。

戦後の世界全体、我が国だけでなく世界全体が、唯物的思想に支配されてきたわけです。私たちのあいだでは、こうした唯物的なマーケットで成功した人が人生で成功した人だと、単純に言えばそういう見方が支配的であったわけです。

そのときに、いわゆるマーケットで成功していない人、つまり、文化的価値を重視する人や、そういった目に見えない価値の重要さを見極めている人は、必ずしもこのマーケットでは評価されてこなかった、というのが今日までの状況ではなかったでしょうか。

しかしながら、これから広い意味でのナショナリズムの時代になると、そういう目に見えない価値が重視されていく。そういう時代になっていくのだろうと思います。

「一帯一路」で国は滅ぶ

先に言及したように、ジャック・アタリは、「国家を含め、障害となるすべてのものに対して、マネーで決着をつけることになる」と豪語しましたが、どのようにしてマネーで決着をつけるのかについて、そのからくりが彼の著書『国家債務危機』のなかで明らかにされています。この決着のつけ方を理解すれば、現在の世界の仕組みを読み解くことにつながります。

アタリは、「国家の歴史とは、債務とその危機の歴史である。歴史に登場する、様々な都市国家・帝国・共和国・独裁国家も、債務によって栄え、債務によって衰退してきた」と指摘しています。

この彼の言葉の持つ意味を本当に理解した人はそう多くない、あるいは理解していても隠している学者なり評論家なり知識人が多いのではないかと思われます。アタリは、結局国家というものもマネーを供給する私人（中央銀行やその株主の国際金融資本家たち）

に依存しているると公言しているのです。各国がなぜ財政赤字に悩まされているのか、おわかりになったかと思います。

このアタリの法則を対外政策として実行してきたのが、中国共産党政権です。習近平国家主席が提唱した「一帯一路」構想は、共産党政権そのものが資金の貸し手となって、イタリアやギリシャをはじめとするEU諸国や、スリランカ、パキスタンなどのアジア諸国やアフリカまで、この構想の参加者を拡大してきました。

インフラ建設などのために高利でお金を貸し、それによって借りた国や地域の経済は一時的に良くなるものの、やがて債務が返せなくなって、中国に投資先の港湾施設などを獲られる、さらに、ゆくゆくは国家の主権を失ってしまうという状況が、げんに起こっているわけです。

今回の武漢肺炎がイタリアやスペインなどで猖獗《しょうけつ》を極めたのは、一帯一路構想下で陸路、海路がつながり中国人労働者を大量に受け入れた結果と言えなくもありません。

これは象徴的な例ですが、結局過去の歴史を見ても、国家というものは債務によって繁栄し、そして債務の重みによって衰亡する。それは裏返せばどういうことかというと、国家というものは国にお金を貸す人たちの意向によって栄え、その意向によって滅ぶということです。そのようなマネーが支配する世界というものは、通貨発行権を私人が握ったイングランド銀行の創設（1694年）以来、今日まで変わっていなかったわけです。

ところが、武漢ウイルスによってもたらされた事態によって、これまでの世界を支配してきた、国、政府にお金を貸して儲けてきた人たちのやり方というものが、これからは通用しなくなる可能性が出てきました。

先にも述べたように、この変化を可能にするのは、一般の人々の価値観の転換です。新しい価値観の時代の入口に我々はいる、と思えてなりません。むしろ、そういう時代を切り拓いていくのが、民度の高い我が国の国民を含めた世界のピープル、つまり一般の人々であろうという気がしています。

トランプ大統領が登場したとき、大衆迎合主義者、人種差別主義者、女性蔑視主義者、反知性主義者等々、さまざまな誹謗中傷にさらされたわけですが、私はトランプ大統領はまさにこういう価値観の転換を目指している人だと、直感的に感じています。

トランプ大統領は、政治をピープルの手に取り戻すと一貫して主張しています。これまでのアメリカの政治は、特定の政治プロによる特定の勢力のための政治であって、アメリカ国民の利益を無視したものでした。だからこそ、トランプ大統領は「アメリカ・ファースト」と呼びかけたのです。これから、本当にピープルのための政治をする、あるいはピープルのための経済体制に改編するというのが、トランプ大統領の信念だと信じております。

もちろんそれは大きな価値観の転換を伴うものですから、同時に非常に大きな反発も生じています。トランプ大統領が目指しているのがピープルのための政治であり、ピープルにとっての経済であるために、日本の政界も官僚も財界も、それからメディアも、こぞって反対しているわけです。

つまり、彼らもアメリカのディープ・ステートの世界体制にがっちりと組み込まれてきたことが、トランプ大統領の登場によって改めて明らかになりました。我が国における反トランプの雰囲気はまだ改まっていませんが、武漢肺炎ショックのあと、改まらざるをえないというように考えています。

三つ巴の戦い

以上に述べたことをまとめると、現在の世界では「三つ巴の戦争」が進行中であることがわかります。

第一は、中国による世界覇権を目指す戦いです。

中国は武漢肺炎の封じ込めに失敗したため戦略を変更して、世界に武漢肺炎を蔓延させ、世界の関心が中国から感染防止に忙殺されている各国へと移るように宣伝戦を仕掛けているのです。感染国に対する支援の姿勢を表明したり、果てはこのような中国に対する感謝決議を行うよう各国の議会などに働きかけを行うまでに至っています。この宣伝戦に、世界保健機関（ＷＨＯ）も加担しています。

とりわけ中国は、武漢肺炎発生の責任をアメリカに転嫁し、トランプ大統領の封じ込め政策の足を引っ張り、アメリカ国内の混乱に乗じて世界制覇の主導権を握ろうと画策しています。これはまさしく「攻撃は最大の防御である」との兵法に基づくものです。それとともに、初期の隠蔽による膨大な死者や都市封鎖などによる経済失速に対する民衆の不満が高まって権力維持に赤信号がともった習近平にとって、起死回生のバクチといえる危険な謀略でしょう。

欧米諸国が武漢肺炎封じ込めに没頭せざるをえない虚を衝《つ》いて、習近平指導部が台湾への軍事侵攻や尖閣諸島奪取などの挙に出る可能性が高まっていると言わざるをえません。

第二は、ディープ・ステートによる強制的グローバル市場化を目指す戦いです。グローバリズムの論客であったアメリカの政治学者、ズビグニュー・ブレジンスキーは、オバマ大統領が世界のグローバル化に失敗すれば、その後は平和的手段によるグローバル化のチャンスはないと予言しました（『Second Chance』）。

彼の言うグローバル化とは、グローバル市場化による世界統一のことです。ディープ・ステートは、今回の肺炎騒動を彼らの長年の夢である世界統一のための最後の戦いと位置づけているのです。先に述べたように、武漢肺炎騒動を契機としてグローバリズムの見直し機運が高まってきたことが、ディープ・ステートを焦らせていると見られます。

あたかも、1929年のニューヨーク株式市場大暴落に端を発する世界大恐慌が第二次世界大戦につながったように、武漢肺炎大恐慌を逆手に取って世界戦争を誘発し、世界的荒廃のなかで世界統一を一挙に実現せんと画策していると考えられます。彼らの前線部隊であるネオコン勢力が、中東や北東アジアなどで紛争を仕掛ける工作に注意を払う必要があります。

同時に、ディープ・ステートの中核である国際金融資本家は、世界大恐慌の際に使った手口に倣《なら》い、武漢肺炎不況で倒産した各国企業を安値で買収して、焼け太りを画策しているのです。各国政府は、都市封鎖など武漢肺炎封じ込めに注力するあまり、国内経済を破壊してしまわないよう、細心の注意が必要です。

第三は、各国第一主義に基づく世界秩序を目指すトランプ大統領の戦いです。トランプ大統領の「アメリカ・ファースト、各国ファースト」の世界観はこれまでのスピーチによく表れていますが、とくに2019年9月に行った国連演説が注目されます。

そのなかでトランプ大統領は、アメリカの目指すゴールは「世界の調和」であると強調しました。そして、「平和を望むなら、自らの国を愛することです。賢明な指導者は常に自国民と自国の利益を第一に考えるものです」と、各国に対し各国ファーストを改めて呼びかけたのです。

まさしくいま、世界各国が実践しているのは自国ファーストによって武漢肺炎禍を克服することです。WHOや国連や他国は助けてくれないことが明白になりました。期せずして、トランプ大統領の哲学に従い各国は行動するようになったのです。各国が自国第一主義によって自国民の福利を増進し、歴史や文化や伝統を大切にしながら世界という屋根の下で共存するという新しい世界秩序です。

この世界秩序は、我が国の伝統精神である「八紘一宇《はっこういちう》」の世界観と同じです。三つ巴の戦争のなかにあって我が国の選択肢は明らかです。トランプ大統領とともに、新しい世界秩序構築のために手を携えて努力するべきなのです。

精神の覚醒

この三つ巴の戦いに勝利するために、私たちは具体的に何をすべきでしょうか。ひと言で言えば「精神の覚醒」です。私たちの生き方の原点に戻るということです。

今回、ふたりの対談のなかで、国難の克服は復古の精神であることを強調しました。いま、私たちに求められているのはこの精神の覚醒、いわば精神の再武装なのです。

いままでのように物質的な価値を重視した社会では、金儲けなどに象徴される物欲、金儲け至上主義的な方向に、私たちの思考様式、行動様式は引っ張られてきたわけです。ところが、そうでない価値の重要さというものがいままで以上に認識されるようになると、私たちの日々の生活自体が少しずつ変わっていかざるをえなくなるということです。

ところがこれは、私たちにとっては特別に新しいことでもなんでもありません。もっとはっきりと言えば、第二次世界大戦の前までは、私たちの先人は無意識的にしろ、意識的にしろ、精神的な価値を重視する生活が身についていたのです。

それをやや古めかしい言葉で言えば、「惟神の道」（かんながらのみち）という生き方になります。たとえば国技である大相撲も「惟神の道」のひとつであり、神々とともに生きるという、私たちの伝統的な生き方のひとつの表れであるわけです。

これから、物質的な価値だけではなく、目に見えない精神的な価値も同様に重要視するという行動様式に変わっていくと、私たちの日々の生活そのものが変わっていくことになるでしょう。

それは気づけばいいだけであって、私たちはすでにそういうDNAを持っていますし、すでにそういう生き方を経験してきているわけです。私たちの親なり祖父母の時代はそういう生活をしてきたわけですから、それに気づけばいいわけです。

戦前、あるいは戦後も間もないころは、私たちの父母、あるいは祖父母の時代のそういった生き方の知恵というものが、家庭で教えられていました。学校でも教えないことはなかったと思いますが、それよりもむしろ、知らず知らずのうちに家庭でそういう生き方というものを学んでいたと思います。

いまは残念ながら、家庭での子どもとの接触の時間が少なくなっています。それはなによりも子どもにとって気の毒な状況だと思います。両親、とくに母親が働くこと自体が悪いとは言いません。自己実現のために外で働くということは、否定されることではありません。

しかし、子育ての重要性と仕事の重要性というものは、バランスを取らなければならないと思うわけです。

どうバランスを取るかといえば、これは女性だけではなくて男性にも言えることですが、仕事というものは代替が利くものです。私の経験からいってもそうです。自分がやらないと、その組織は動かないだろうと思いたくなる人もいるでしょうが、そうではありません。自分がいなくても組織は機能し、動いていくのです。

しかし子育てはそういきません。子育ては代替が利かないのです。これはかつての私たちにとっては常識だったわけですが、その常識がいま、忘れ去られているのは非常に残念なことです。

武漢肺炎ショックのピンチをチャンスに変えるということは、たとえばそういった子育ての原点にもう一度返る、そういうチャンスが与えられている、というように考えるべきだと思います。その実践によって、目に見えない何かの価値を、自分のなかで感じ取ることができるのではないかという気がします。

子どもというのは、ある年齢に達するまでは、他から教えられなければならない存在です。そこでまず家族、親が子どもを教育し、そして家族のなかで兄弟との触れ合いなどを通じて、人間関係というものを学んでいきます。

その次に学校教育があるわけで、決して逆ではありません。家庭教育があって学校教育がある。そしてまた、家庭教育に戻っていくということです。

この比重の掛け方が、いままでは残念ながら学校教育に掛かりすぎていました。戦後の学校教育というのは、ほとんどの場合、唯物的教育です。道徳教育ひとつをとってみても、いまでも大反対が見られるという状況で、そういう雰囲気のなかで道徳教育が正常に行われているというようには、とても思えません。そうすると、周りに気兼ねせず道徳教育ができるのは、家庭となるわけです。

そういうことを考えてみると、今回の外出自粛要請や学校休校措置は、家庭教育を見直す良いチャンスになったのではないかと考えられます。

これは小さなことかもしれませんが、しかし大きな変革も小さな一歩から始まるのです。そういうことで、私たち全員が、その大きな変革のための参画者として、重要な一翼を担っているのだということを、この武漢ウイルス騒動を機に認識すべきだと思っています。

おわりに　日本人になった私が願う日本の脱グローバル化

この春は新型コロナウイルス感染症対策で自宅にいる時間はたっぷりあるのに、なかなか家庭菜園の種まきができませんでした。気温の低い日が続いていたからです。私が家庭菜園を始めたのは2006年、日本国籍を取得したのと同じ年です。

まったくの素人でしたが大きな失敗をすることなく、毎年いろいろな野菜や果物をつくり、鶏やニホンミツバチを飼い始め、いまでは食用ウサギも飼育しています。家庭菜園を始めた翌年には、うちの社員にも勧めたくて、社内で農業プロジェクトを立ち上げ費用の援助を始めました。

もし世界経済が急に悪化し、それによって売上が縮小したら給与も減ります。そうなったときに、自分の家で食べる野菜を自分でつくっていたら、少しは生活の足しになると思ったからです。2012年に社長から会長になり、菜園で過ごす時間がもっと増え、経済崩壊も起きることなく令和の時代が始まったとき、新型コロナウイルスが世界を分断しました。新型コロナは経済だけでなく、これまでの習慣や社会のあり方まで根本から見直すことを私たちに迫ってきたのです。

私は1969年に米国から日本に来て、1972年に会社を設立しました。私にとって日本という国は、初めは商売の場所でした。米国で働いていたころの手法を、そのまま日本で実践することもできましたが、日本について何も知らず、日本語も片言ではひとりで営業に行くこともできません。

そこで日本のビジネスリーダーが経営について書いた本の英語版を読み、日本について学ぶことにしたのです。松下幸之助や立石一真、本田宗一郎、土光敏夫……。こうした人たちは技術者やエンジニアで、研究開発はもとより社員の教育、動機づけなどを大切にし、目標は長期的な発展で、短期的な儲けではありませんでした。

米国時代、大学院で『論語』を読んで東洋のリーダー思想を学んだことがよみがえってきました。企業の役割は国民の幸福につながる製品やサービス、雇用を提供することで、社員をリストラしてまで自分の報酬を吊り上げるような、権力を私《わたくし》するような行動をとるべきではない。貪《どん》欲は良いことというアングロアメリカ流のビジネスとは正反対でした。

もし私が米国のやり方、つまり短期的な利益を目標にしていたら今日まで会社が続くことはなかったし、私自身がずっと日本にいることもなかったでしょう。

私が日本や日本人を褒めると「美化している」と言われることがありますが、生粋《きっすい》の日本人にとって当たり前すぎて気づかないことが、私の目に映ることもあります。とくに日本に来たばかりの昭和40年代、日本のビジネスマンは真面目で勤勉で教養があるという印象を強く受けました。そして、そういう人たちが日本の経済成長を牽引してきたのです。

またそのころは、公的費用を賄うために使われる税金は、支払い能力や社会から享受する経済的恩恵に応じて税額が決められていました。貧富の格差の極めて少ない、国民の多くが自分を中流階級だと考える「一億総中流」の社会で、リストラ、派遣切り、雇い止めといった言葉はありませんでした。

ところが、1980年代半ばから「グローバリズム」と「マネー資本主義」が推し進められ、不動産バブルと過剰消費ブームを日本にもたらしました。経済は〝カジノ〟に、市場は〝賭博場〟になり、日本企業も米国に倣って投機家や投資家を喜ばせるためにより早く、より多くの利益を出して株価を上げ、配当を増やすことに専念し始めました。

たとえ個人的には実直な人でも、企業に勤めて投資運用者という立場になれば、カジノ経済で生き残るために多くのリターンを得られるところに資金を掛けなければなりません。一連の金融自由化、規制緩和、グローバル化の結果、日本は深刻な不況に陥り今日に至っています。米国のやり方は一言で言うと、

「オレの言う通りにしろ！」

「オレがやっていることをお前はやってはいけない！」

です。米国はそうやって経済成長を遂げた日本を潰しました。

米国の主な産業は戦争と金融です。2001年、同時多発テロ事件が起き、米国は「テロとの戦い」を唱えてアフガニスタンやイラクへの軍事侵攻を正当化しました。テロ対策といえば何をしても許される状況をつくり出したのです。

2004年、娘の結婚式に出席するため、私と妻は関西空港からハワイに向かいました。関空でもホノルル空港でも、その後もマウイ、カウアイと飛行機を乗るたびに、私たちは徹底的な検査と厳しい質問にあいました。耐えかねて空港の職員に理由を尋ねると、「あなたが米国の国土安全保障省のブラックリストに載っているからだ」と言うのです。

ブラックリストは、テロとの戦いを理由に米国が運用し始めたものです。私は日米経済摩擦が激しかった1990年、『日本は悪くない』という本で米国政府の姿勢を批判しました。その後も日米問題についての著書を執筆し、米国の政治や経済の問題について指摘してきました。その行動を米国は反政府的、つまりテロ行為だと見なしたのです。

ハワイから帰って、すぐに帰化の手続きを始めました。米国は日本のような戸籍がないですし、一通りの書類をそろえるのは本当に大変だと知っていましたが、それよりも米国籍を棄てたいという思いのほうが圧倒的に強かったのです。もともと永住権を持っていたので、変わったのは選挙権を手にしたことくらいですが、帰化できたことにとても満足しています。

日本政府は米国の言いなりで規制緩和や民営化を推進し続け、その結果、非正規雇用者が増えて貧困化が進み、米国のような貧富の格差が日本社会でも広まっています。米国が中東の石油をめぐりイランの司令官を殺害し、明日にも戦争が始まるかという危うい世界情勢が続いていました。そんなときに発生したのが新型コロナウイルス騒動でした。私たちがいま真剣に考えるべきことは、このコロナ禍が終息したときに「さあ、消費を活性化して経済成長を続けよう！」とならないような心がまえをすることです。

日本は大きな地震や台風に何度も見舞われてきました。私には自然が新型コロナウイルスを使って「すべての生き物が調和して暮らせる慎ましい社会に戻るべきだ」という警告をしているように思えてならないのです。あわててワクチンをつくっても、副作用に苦しむだけかもしれません。それよりも今後の生き方、社会のあり方を真剣に考えることが大事だと私は思うのです。

新型コロナウイルスの対応は国によってさまざまですが、共通しているのは、どの国も自国民の命を守るために政府や医療従事者が必死に働いているということです。そして国民同士も、感染を抑えるために「自粛」「社会的距離」をとることで協力しながら慎ましく生活しています。

この経験を無駄にすることなく、コロナが終息したあかつきには、脱グローバル化した新しい形の日本ができていることを私は強く信じています。

2020年5月吉日

ビル・トッテン

本書籍は、林原チャンネルで行われた両先生の対談を元に、
企画・構成いたしました。

対談の一部は、YouTube の林原チャンネルにて
配信しております。
ぜひご覧いただけますと幸いです。

馬渕睦夫大使が出演する番組
「ひとりがたり」「いわんかな」は、毎月配信中です！

●著者略歴

馬渕睦夫（まぶち・むつお）

元駐ウクライナ兼モルドバ大使、元防衛大学校教授。1946年京都府に生まれる。京都大学法学部3年在学中に外務公務員採用上級試験に合格し、68年外務省入省。71年研修先のイギリス・ケンブリッジ大学経済学部卒業。2000年駐キューバ大使、05年駐ウクライナ兼モルドバ大使を経て、08年11月外務省退官。同年防衛大学校教授に就任し、11年3月定年退職。14年4月から18年3月まで吉備国際大学外国語学部客員教授。
『［新装版］国難の正体』『「美し国」日本の底力』（加瀬英明氏との共著）『天皇を戴くこの国のあり方を問う 新国体論』（以上、ビジネス社）、『米中新冷戦の正体』（河添恵子氏との共著、ワニブックス）、『知ってはいけない現代史の正体』（SBクリエイティブ）など著書多数。

ビル・トッテン（Bill Totten）

株式会社アシスト代表取締役会長。1941年米カリフォルニア州生まれ。63年カリフォルニア州立大学卒業後、ロックウェル社に勤務。67年システム・デベロップメント社に転職。69年南カリフォルニア大学で経済学博士号を取得。同年、初来日。72年パッケージ・ソフトウェア販売会社、株式会社アシストを設立し同社の代表取締役社長に就任。2006年、日本国籍を取得。12年より現職。「朝まで生テレビ」（テレビ朝日）などテレビ出演多数。
『本当はもっとよくなるニッポンの未来』『日本は略奪国家アメリカを棄てよ』（以上、ビジネス社）、『アングロサクソン資本主義の正体』（東洋経済新報社）、『「年収6割でも週休4日」という生き方』（小学館）、『愛国者の流儀』（PHP研究所）など著書多数。

企画協力：高谷賢治（林原チャンネル）

世界経済の分断点を乗り越えよみがえる日本

2020年6月18日　第1刷発行

著　者　馬渕睦夫　ビル・トッテン
発行者　唐津 隆
発行所　株式会社ビジネス社
〒162-0805　東京都新宿区矢来町114番地 神楽坂高橋ビル5階
電話　03-5227-1602　FAX　03-5227-1603
http://www.business-sha.co.jp

印刷・製本／三松堂株式会社　〈カバーデザイン〉大谷昌稔
〈本文組版〉エムアンドケイ　茂呂田剛
〈編集担当〉大森勇輝　〈営業担当〉山口健志

ISBN978-4-8284-2160-5